KB154499

하버드에도 없는

AI시대 최고의 학습법

지정의 학습

I.E.V. Study

박병기, 김미영, 나미현

거꾸로미디어

들어가는 말

지 知. Intellect

거꾸로미디어연구소가 지정의 학습IEV Study를 특허 출원한 것은 이 학습이 4차 산업혁명 시대를 준비하는 학습법이기 때문이다. '지정의'라는 이름으로 많은 사람이 강의를 하고 논문도 썼지만 새 시대를 생각하며 인공지능과 함께 살아갈 인재를 키우는 용으로 지정의 학습을 진행한 사람은 없다. 거꾸로미디어연구소는 그런 의미에서 특허를 낸 것이다. 연구소에서 만든 지정의 학습IEV Study은 왜 새 시대를 준비하는 학습법인가?

지정의에서 지知를 한자로 보면 이는 단순히 '안다'라는 의미이다. 안다는 것이 무엇인가? 2, 3차 산업혁명 시대에 '안다'는 것은 지식과 정보를 뇌에 저장하고 그것을 끄집어내는 것이었다. 주로 그것이 지知였다.

4차 산업혁명 시대에는 인공지능의 등장으로 인간에게 안다는 개념이 바뀔 수밖에 없게 되었다. 단순 지식과 정보는 인공지능에 물어보거나 스마트폰에서 네이버 검색 또는 구글 검색을 하면 넓고 깊은 내용을 빠르게 얻을 수 있다.

이런 상황에서 인간은 단순 지식과 정보가 아니라 인간만이 가진 독특한 지식이 있어야 하는데 개발자(박병기)는 그것을 통찰, 분별, 깨달음 등으로 보았다. 사실 이는 고대 철학자들이 갖던 생각과 비슷하다.

소크라테스는 제자의 질문에 답하는 것보다 질문하는 것을 중요시했다. 이유는 앎이란 어떤 단순한 지식이나 정보나 이론이 아님을 그는 알았기 때문이다. 소크라테스에게 앎이란 이미 완성된 진리가 아니라 '사람 안에서 나오는 그 무엇'이었다. 고대 철학 연구의 권위자인 피에르 아도는 소크라테스의 앎에 대해 '영혼 그 자체에서 찾아지는 것'이라고 해석했다.[1] 아도에 따르면 플라톤은 앎을 영혼이 전생에 보았던 것을 되돌아 기억하는 것으로 보았다. 필자가 말하는 통찰, 분별, 깨달음은 소크라테스, 플라톤이 말하는 앎과 연관성이 있다.

2, 3차 산업혁명 시대 때 우리가 통상적으로 알았던 지식과 정보는 늘 '거기에(**스마트폰 또는 인공지능**)' 있기에 인간은 영혼에서 나오는 독특함과 창의성을 덧붙일 때 참 지식과 참 앎에 도달하게 된다. 만약 그것이 되지 않으면 지知식 산업에서 인간은 그다지 할 게 없어진다. 지식 사회, 정보 사회에서 주인공은 인공지능이 된다.

그런데 지식과 정보에 인간만의 통찰, 분별, 깨달음 등을 넣게 된다면 이는 인공지능이 도무지 할 수 없는 그 무엇이 된다. 물론 인공지능도 통찰, 분별, 깨달음에 '대해' 말은 할 수 있다. '대해'에 강조점을 둔다. 그런데 진짜 통찰, 진짜 깨달음, 진짜 분별은 오직 인간만이 경험하게 되는 것이다. 메이누스 아일랜드 국립대학 필 맥과이어 교수에 따르면 "우리 뇌는 정보 조직, 분해, 해석 능력이 무척 복잡하고 예측할 수 없어 인공적인 시스템으로 재현하기 어렵다"고 한다.[2)]

미국 위스콘신 대학 메디슨 캠퍼스 연구진에 따르면 "로봇의 사고기반인 컴퓨터 연산능력이 제한된 메모리와 한정된 시간이라는 물리적 시스템을 뛰어넘을 수 없고 궁극적으로 인간과 유사한 '통합적 사고'로 이어지지 못한다"고 한다.[3)]

인간만이 갖게 되는 통찰, 깨달음, 분별을 지정의 학습에서는 지知로 쓰게 된다. 기존의 단순 정보, 지식을 쓰는 것은 4차 산업혁명 시대에는 인간만의 지知가 될 수 없기 때문이다. 그것은 인공지능이 더 잘한다.

인간만이 갖게 되는 통찰, 깨달음, 분별을 통해 얻게 되는 감정을 적는 것이 지정의 학습에서 정情이다. 지知와 정情이 인간만의 것이라면 인간만이 할 수 있는 실천의意을 하게 될 수밖에 없는 것이 지정의 학습에서 주장하는 것이다.

이렇게 학습을 하면 인간만의 독특성과 창의성을 유지하게 되고 인간은 지식 산업, 정보 산업에서 인공지능을 컨트롤하며 함께 나아갈 수 있게 된다는 가설에서 시작한 것이 지정의 학습이다.

이 가설은 지정의 학습에 관한 설문조사와 심층 인터뷰를 통해 입증될 수 있다. 이를 뇌과학 전문가가 연구하게 된다면 흥미로운 결과가 나오지 않을까 전망한다. 심리전문가들도 연구해볼 만한 과제가 아닐까 싶다. 교육전문가들도 연구해볼 만한 주제가 될 수 있다. 심리학자, 철학자, 교육학자, 생명공학자, 신경과학자, 컴퓨터공학자 등 각 분야의 연구가들에 의해 이 연구가 진행되기를 기대한다.

"인간이 만든 로봇이 독자적으로 내린 의사 결정을 인간은 얼마나 믿을 수 있는가, 로봇에게 얼마나 높은 수준의 자율성을 부여할 것인가 하는 점은 지능형 로봇 개발 과정에서 중요한 이슈가 되고 있다." [4]

이는 진석용 LG 책임연구원이 '스스로 판단하고 행동하는 지능형 로봇의 현주소'라는 리포트에서 쓴 내용이다. 이 내용을 읽으며 필자에게 든 질문은 4차 산업혁명 시대의 지정의 학습을 깊이 있게 해보지 않은 사람이 과연 이러한 이슈에 답을 할 수 있을까이다.

다음은 전문가들과 리더들의 말이다. 출처는 생략했다.

"우리 아이들은 '전뇌적인 인간'으로 키워야 한다."

- 정재승, 카이스트대 교수

"인간과 감정 로봇의 일방적 정서적 교감이 가져올 수 있는 잠재적 위험을 고민해야 한다."

- 천현득, 이화여자대학교 교수

"권리주체성이 인간에서 법인으로 확대되었듯이, 법인에서 전자적 인간electronic person으로 확대될 가능성도 고려할 필요가 있다"

- 정진명, 이상용 교수, 단국대 & 충남대 교수

"빅데이터가 우리에게 많은 약속을 했다면, 인공지능과 머신러닝은 그 약속을 지키기 위해 온 것이다. 그 약속이란, 새로운 통찰, 새로운 가치 창출, 혁신적인 제품 및 서비스 창조, 자동화 등이다."

- 커크 본 Kirk Borne, 부즈 앨런 해밀턴의 수석 데이터 과학자

"기업이 인공지능 기능을 갖추면 사람을 대할 때 소비자로서가 아니라 진짜 사람으로서 대할 수 있는 것이 가능해질 전망인데, 이 부분에서 개인적으로 큰 기대감을 가지고 있다"

- 조시 블룸 Josh Bloom, GE 디지털의 부회장

"우리 모두 똑같이 모르고, 인공지능이 가져올 미래에 대해서는 고만고만한 수준의 지식만을 가지고 있다는 것은 분명하다. 그러니 최소한 뒤떨어지지 않는 게 중요하다. 그런 관점에서 '맞는 방향일까'를 고민하는 것보다는 '얼마나 더 알게 되었나'를 점검하는 게 맞다"

- 보안뉴스 문가용 기자

정 情. Emotion

거꾸로미디어연구소에서 특허 출원을 한 지정의 학습IEV Study의 선행 연구는 없다. 이유는 이 지정의 학습은 인공지능을 컨트롤dominion하고 인공지능과 동행한다는 전제하에 시작된 것이기 때문이다. 이에 대한 최초의 연구이기에 선행연구가 있을 수 없고 지금 하고 있는 것이 최초 연구라고 할 수 있다. 최초 연구를 잘해야 이것이 미래에 진행될 연구의 선행연구가 되는 것이다.

현재 진행되고 있는 지정의 학습 및 연구는 따라서 굉장히 중요하다. 어쩌면 이것은 우리의 미래를 결정할 학습이 될 수도 있기 때문이다. 이 학습이 잘 알려지고 많은 사람이 이 학습에 참여하게 되면 우리는 인공지능 시대를 준비할 수 있게 된다는 것이 거꾸로미디어연구소의 가설이다. 따라서 이에 대한 연구에 열심을 내는 사람들이 많이 필요한 상황이다. '그냥 한 번 해본다'라는 마음보다는 '인류공영에 정말 중요한 일을 한다'는 생각을 갖고 이 일에 참여해야 한다.

앞서 필자는 인간만이 갖게 되는 영혼에서 나오는 통찰, 깨달음, 분별을 통해 얻게 되는 것에 대해 이야기 나눴다.

인공지능은 도무지 따라올 수 없는 그 무엇이 인간만의 통찰, 깨달음, 분별이다. 인공지능도 강한 인공지능까지 가면 통찰, 깨달음, 분별, 성찰이 약간은 있을 것이다. 하지만 여전히 인간만이 가진 통찰, 깨달음, 분별에 이르기는 쉽지 않다.

소크라테스와 플라톤은 지식을 영혼과 연결해서 이야기했다. 그 영혼이 인공지능에게는 없기에 온전한 통찰, 깨달음, 분별, 성찰이 있을 수 없다는 것이다. 그래서 필자(박병기)가 계속 연구를 진행하는 미래교육 시스템에서는 영성지능(9번째 지능)을 강조한다. 영성지능(9번째 지능)이 있어야 정말로 인간다운 지식에 이르기 때문이다.

지정의 학습에서 두 번째로 중요한 것은 바로 정情이다. 정情은 지知와 밀접한 연관이 있다. 지知는 인간만이 가진 통찰, 깨달음, 분별, 성찰이라고 필자는 앞서 설명했다. 이 통찰, 분별, 성찰에서 나오는 정情이 인간만이 갖게 되는 정情이다. 일부 인공지능 전문가들은 인공지능도 감정을 갖게 될 수 있다고 설명한다. 인공지능도 감정을 표현한다는 것이다.

이화여자대학교 법학전문대학원 교수이자 생명윤리 정책 협동과정 교수인 최경석은 "개나 고양이와 같은 수준의 뇌 기능을 지닌 동물에게서 감정이나 정서는 발생한다고 여긴다. 그런데 기계가 이런 반응을 보인다면, 그것은 흉내 내기이지 기계 그 자체가 외부자극으로부터 쾌나 고통을 느꼈기 때문이라고 여기지는 않는다"라고 말한다.[5)]

그리고 그는 감정이란 표현 그 자체보다는 감정에 진정성이 있느냐가 중요하다고 덧붙인다.

"우리는 자신에게 보인 타인의 정서가 꾸며진 것이고 단지 그런 척하는 것이라면 매우 불쾌하게 여긴다. 예를 들어, 좋지 않은 일을 겪은 나에게, 타인이 "얼마나 속상하니?" "매우 힘들겠구나, 그래도 힘을 내"라고 하거나, "나도 매우 속상하다"와 같이 공감하는 정서를 보일 때, 이런 정서에 대해 진정성이 결여되었다는 사실을 알게 되면, 매우 실망스럽게 여기고,

인간적인 배신감까지 느끼기도 한다. 우리는 이처럼 인간의 감정에 왜 진정성이란 판단을 부가하는 것일까? 진정성이란 개념은 우선, 발화되거나 표현된 것의 소유자라는 주체성의 개념을 전제로 한다. 그리고 그 반응은 단순한 반응이 아니라 주체의 총체적 반응으로 여겨진다. 다시 말해, 감정이나 정서는 단순히 인지적 영역의 계산적인 기능적 기제가 발휘된 것만이 아니라, 발화하거나 표현하는 주체의 전인적 반응으로 여겨진다는 것이다. 발화나 표현의 내용은 그 주체의 것일 뿐만 아니라, 인격을 대변하는 것으로도 여겨진다."

인공지능이 감정을 가질 수 있다고 하더라도 그것에 과연 '진정성'이 있느냐는 질문이다. 직관적으로 봐도 인공지능이 그 진정성을 가지기는 쉽지 않다.

건국대학교 스토리앤이미지텔링연구소의 박선화 교수는 마사 누스바움(**시카고대 교수, 미국 철학자**)의 주장을 다음과 같이 인용한다. "감정을 느낀다는 것은 감정을 느끼는 주체가 살아온 삶의 경험이 바탕에 깔려 있고 그 경험을 기반으로 이성적인 가치판단을 행할 수 있음을 전제로 한다."[6)]

최경석, 박선화 두 학자의 의견을 전제로 지정의 학습을 본다면 지정의 학습에서 정情은 진정성과 삶의 경험 그리고 이성적 가치판단이 들어간 무엇이라고 할 수 있다. 즉, 감정은 단순한 표현의 차원을 넘어선 인생의 전반적인 통찰, 깨달음, 분별, 성찰이 들어간 무엇이라고 해도 지나친 말이 아니다.

지정의 학습에서 정情을 쓸 때 지知를 기초로 해서 쓰라고 하는데 바로 이런 이유 때문이다. 지정의 학습에서 말하는 지知는 단순한 정보가 아니라 인간만이 가진 통찰, 깨달음, 분별, 성찰이고 이와 같은 지知는 인간만이 가진 정情으로 이끌거나 지知와 정情은 동시에 발화된다는 가정하에서 그렇게 하고 있다.

지정의 학습을 할 때 지知를 단순한 정보나 요약 정도로만 쓴다면 정情은 인공지능 수준의 정情밖에 나올 수 없다는 결론을 내리게 된다. 진정성이 없는 정이 되는 것이다. 앞서 나눴지만 그렇게 되면 인간은 인공지능에 밀려날 수밖에 없다. 왜냐하면 인공지능은 365일, 24시간 전원만 있으면 일을 할 수 있기 때문이다. 노동조합에 가입시켜주지 않아도 되기 때문이고 복리후생도 신경 써줄 필요가 없기 때문이다.

의 意. Volition

"언론 기사를 작성하는 로봇이 중요한 사회적 이슈에 대해 일련의 오도된 기사들을 만든다면 어떻게 될까? 감정, 희생정신이 없는 지능형 로봇(인공지능)이 스스로의 안전을 위해 위험한 재난 대응 작업을 회피한 결과가 거대한 재앙으로 이어진다면? 무기를 사용할 수 있는 군사용 로봇이 스스로 테러를 일으킨다면? (중략) 이런 다양한 논란의 근원에는 지능형 로봇의 자율성과 이를 구현하는 인공지능에 대한 불확실한 신뢰도가 자리 잡고 있다. 인간이 만든 로봇이 독자적으로 내린 의사 결정을 인간은 얼마나 믿을 수 있는가, 로봇에게 얼마나 높은 수준의 자율성을 부여할 것인가 하는 점은 지능형 로봇 개발 과정에서 중요한 이슈가 되고 있다."[7]

LG 경제 연구원의 진석용 연구원은 위와 같은 질문과 과제를 우리에게 던져주고 있다. 인공지능은 감정과 희생정신이 없기에 그것을 가진 인간이 제어해야 한다고 진석용 연구원은 주장한다. 그런데 김대식 카이스트 대 교수의 말처럼 인간의 역사가 희생정신의 역사였냐는 것이다.[8)]

중요한 사회적 이슈에 대해 오도했던 인간의 역사는 어떻게 할 것인가. 스스로의 안전만 생각했던 인간의 이야기는 어떻게 할 것인가. 테러를 일으키고 전쟁으로 전 세계 시민들이 엄청난 피를 흘리게 한 역사는 어떻게 할 것인가. 인간의 역사를 데이터로 입력하여 그것을 토대로 자율성을 부여 받은 인공지능은 과연 어떻게 인간의 역사 안으로 들어올 것인가. 우리가 지금부터 해야 할 일은 무엇인가.

미력하지만 우리는 이제부터라도 '인간다움'의 역사를 만들어내야 한다. 인간다움이란 무엇인가. 지정의가 회복된 인간의 삶의 기록이 인간다움이다. 이기적이고, 다른 사람과 경쟁만 하고, 이웃을 위한 희생은 없고, 남을 누르고 자신이 잘 먹고 잘사는 그런 지정의가 망가진 인간의 삶의 기록이 아니라, 지정의가 회복되어 이웃을 진정으로 사랑하고, 희생하고, 이웃의 성장을 늘 마음에 두고, 사회가 아름다워지도록 하는데 노력하는 그런 삶의 기록이 우리에겐 필요하다. 그래야 인공지능도 지식으로나마 그것을 배울 수 있는 것 아닌가. 김대식 박사는 말한다. '지금까지의 인간의 역사로는 그렇게 하기에 부족하다.'

너무 늦은 것인가.

그렇지 않다. 지금부터라도 인간의 역사를 새롭게 쓸 수 있다. 그것은 시민들의 작은 노력, 즉 의의 실천을 쌓음으로 가능하다. 그래서 의의 실천을 우리는 계속 이웃들과 나눠야 한다. 상상을 해보았다. 인공지능이 지정의 학습 네이버 밴드로 들어와서 정보를 습득한다면 어떤 반응을 보일까.

섬김과 희생과 사람다워지는 훈련이 벌어지고 이웃을 생각하는 의의 실천이 주로 있기에 기존의 인터넷 세상과는 다른 세상이라고 여기게 될 것이다. 그리고 한국어뿐만 아니라 영어, 스페인어 등도 작성되고 있고 앞으로 언어군이 더 확산할 것이기에 인공지능에 선한 영향을 미치게 될 수 있다. 네이버 밴드 안에서 지정의 학습 활동하는 수가 10만 명, 100만 명으로 늘어난다면 인공지능에 선한 영향력을 미치는 우리가 되는 것이다.

그런 의미에서도 의의 실천은 너무나 중요하다. 인간의 이기적인 역사를 이타적인 역사로 만드는 일을 우리는 하고 있다. 이는 대한민국 사람들에게는 홍익인간 정신의 실천이기도 하다. 외국인들에게는 이웃에 대한 사랑의 실천이다. 인간만이 갖게 되는 통찰, 깨달음, 분별, 즉, 지知를 통해 얻게 되는 감정을 적는 것이 지정의 학습에서 정情이다. 지知와 정情이 인간만의 것이라면 인간만의 실천意을 하게 될 수밖에 없다는 것이 지정의 학습에서 주장하는 것이다.

오직 인간만이 선한 실천을 할 수 있고 인공지능은 이것을 배울 수 있다. 그러기 위해서는 인간의 역사가 올바르다는 것을 보여줄 수 있어야 한다. 그런데 만약 인간이 이기적이고 개인주의적이고 타인과의 경쟁에서 이기는 것만 생각한다면 그리고 그것이 역사의 기록으로 계속 남는다면 우리는 인공지능에게 자율성을 주면 안 된다.

그러면 인류의 역사는 '나쁜 인공지능'에 지배받게 되고 우리는 더욱 불행해질 것이기 때문이다. 인간은 늘 선함을 추구해왔다. 그 추구가 이상으로 그치지 않고 구체적이고 매일매일의 그 무엇이 된다면 인간의 역사는 새롭게 쓰여질 것이다.

그것이 바로 지정의 학습에서 의意이다.

"'로봇은 로봇답게, 사람은 사람답게'라는 모토가 필요하다. 인간과 로봇이 공존하기 위해서는 로봇에게 적합하지 않은 일을 강제해서는 안되며 인간도 로봇이 이해할 수 있는 소통방법을 익혀야 한다."[9] 오준호 KAIST 교수(휴머노이드로봇연구센터장)의 말이다.

'사람은 과연 사람답게 살 수 있을까.'

지정의 학습이 시작되기 전, 필자 스스로에게 했던 질문이다. 사람이 사람답게 살아야 인공지능 로봇도 로봇답게 지낼 수 있을 것 같다.

지정의 학습은 단순히 읽기, 글쓰기, 커뮤니케이션 이상의 그 무엇이다. 지정의 학습은 인류공영에 필요한 학습이다. 새로운 시대에 꼭 필요한 학습이다.

추천사 (가나다라순)

김현중 맑은샘광천교회 담임목사

4차 산업혁명 시대, AI가 촉발한 급격한 변화의 시대를 맞이하면서, 저자들은 지정의 학습법을 제시한다. 모든 지식을 인공지능이 대체하게 될 시대를 맞이하면서, 저자들은 무엇보다 인간성에 초점을 맞춘다. '사람답게' 살기 위해 저자들은 지정의 학습법을 제시한다. 단순한 학습법이 아니다. 저자들은 인간다운 삶을 살고, 인류 모두가 함께 행복해지는 길을 제시한다. 거대한 변화의 물결 앞에서 미래의 항로를 모색하고 있는 분들께 일독을 권한다.

박주영 숭실대학교 경영대학 교수

인공지능 기술은 빠르게 발전해 음성 및 사물에 대한 '인식'을 넘어서 '추천'등과 같은 의사결정 영역으로 급속히 진화하고 있으며, 일부 영역에서는 인간 이상의 성능을 달성함에 따라 그 적용 분야가 확대될 것으로 전망된다. 그러나 감정인식, 의사결정, 통제와 같은 영역에서는 아직도 완성단계까지는 갈 길이 멀다. 이러한 영역이 미완성인 채로 인공지능 기술이 보편화되는 사회는 상상하기조차 싫다. 지정의 학습은 이러한 시대적 상황에 가장 알맞은 학습법이라고 생각하며, 이 책이 널리 읽혀져서 섣부른 인공지능이 가져 올 위험을 미리 예방하기를 기대한다.

심삼종 한양대 겸임교수 역임, 현 JIU 겸임교수

4차 산업혁명 시대의 삶을 준비하며 인공지능 시대의 미래교육 지정의 학습을 통하여 인간만이 가진 철학적인 통찰, 분별, 깨달음을 극대화하고, 이로 인해 얻게 되는 감정의 진정성을 훈련하며, 인간다움의 의의 실천을 통해 타인을 사랑하고, 이웃 성장에 마음을 두며, 사회가 아름다워지도록 희생하는 선한 영향력을 미치는 이타적인 삶을 살아갈 수 있도록 Corona 시대의 New Nomal을 살아가는 우리 자녀들과 우리 세대에게 시대의 큰 파도에 함몰되지 않고 마음껏 서핑할 수 있는 새 시대의 Surfer가 되기 위해 꼭 필요한 생명을 살리는 학습이기에 기대하며 적극적으로 추천합니다.

이기우 전 국회의장 비서실장

'제4차 산업혁명 시대를 살아갈 당신의 자녀를 위해 무엇을 챙겨주겠는가?'라는 이 책의 질문에 한 번의 망설임 없이 하버드에도 없는 AI 지정의 학습을 챙겨줄 것이라고 답하고 싶다. 지정의 학습은 미래사회를 살아갈 생존 학습법이기 때문이다. 미래교육은 AI 시대에 필요한 교육, 누구도 경험해보지 못한 혼돈과 두려움에서 명확한 방향성을 제시해 주는 교육이 미래교육이어야 한다.

최근 교육부에서 인공지능 시대 교육정책 방향을 발표하였다. 하지만 학부모들과 학생들은 모호한 교육정책에 방향성을 잃고 있다. 다행히 저자

들은 지정의 학습을 통해 벌써, 교육의 효과성도 이미 끝낸 상태라니 이 책에서 제시하는 교육법을 마다할 이유가 없을 것이다.
모두가 새로운 사회에 대한 두려움이 앞서있을 때 미래교육에 대해 깊이 고민하면서 준비한 저자들과 관계자들 노고에 박수를 보낸다. 그리고 하버드에도 없는 AI 시대 최고의 학습법이 한국을 넘어 전 세계에 널리 알려지기를 소망해본다.

이정현 개신대학원대학교 겸임교수. 청암교회 담임 목사
지금 우리는 최첨단의 시대를 살고 있다. 교육의 분야도 AI, VR 등 최첨단 시스템이 들어와 있다. 특히 이번 코로나 정국에, 한국 교육계는 학생들이 학교에 가지 않아도 원격으로 수업을 할 수 있도록, 상당히 빠른 시간 내에 모든 것을 구축을 다 했다. 이제는 어찌 보면 학교도, 가르치는 사람도, 교육의 내용이 따로 없어도 가능한 새로운 교육 시대가 되어 버렸다.
그러나, 교육의 본질은 결국 사람을 터치하여서 사람으로서의 가치를 최대한 올리는 것인데, 기계와 컴퓨터와 새로운 문명이 그 자리를 대신할 수 있을까? 오히려 최첨단 시대에 정말 필요한 것은 사람을 사람되게 만드는 교육이라고 생각한다. 그 교육의 방법론이 '지, 정, 의' 교육이라고 생각이 된다. '지, 정, 의' 한국 사람들에게 매우 익숙한 개념이다. 학생들로 하여금 알게 하고, 느끼고 깨닫게 하고, 인간다운 아름다움을 실천하게 하는 이 교육이야 말로, 이 시대에 새로운 교육의 이상이 될 것이다. 특

히 사람은 사람으로서, 기계 이상의 범주가 있는데, '지, 정, 의' 교육이 가장 사람다운 교육을 만들 것이라 믿는다.

인세진 웨스트민스터신학대학원대학교 겸임교수. 커뮤니케이션 강의

이 책의 공동저자이신 박병기 교수님에게 추천서를 부탁 받았다. 지난 4학기 동안 같은 부서(글로벌 교육원과 미래교육리더십)에서 같은 학생들을 가르치며 저도 많은 감동과 선한 영향력을 주신 교수님이기에 더욱 더 정성을 다하여 새 책 출간을 위한 추천서를 썼다. 짧지만 박 교수님의 교육 철학이 담겨진 생각을 지정의로 잠시 나눈다. 책 자체보다는 저자에 대한 지정의이다.

지知: 박병기 교수님은 이미 미래교육에 있어서 탁월한 통찰력과 지식을 가지고 있으신 분이다. 저와 같이 언어학을 전공하셨고 특히 언어학에서 세계 최고라는 UCLA에서 수학하신 분이시고 또한 언론사 편집장까지 역임했다. 지금은 다음 세대의 지도자들을 양성하시기 위하여 미래교육리더십을 대학원에서 이끌고 계시는 귀한 학자이다. 어느 누구보다 축적된 지식을 마음껏 실천한 분이기에 지식에 대해 충분히 논의하며 이야기 할 수 있는 자격이 갖추어진 분이다.

정情: 박병기 교수님은 따뜻한 분이다. 지식을 당신의 영달과 업적을 위하여 쌓는 분이 아니고 늘 그 지식을 통하여 이웃을 돌아보며 선한 영향력을 끼치시는 정이 많으신 분이다. 같은 전공에서 외국, 한국 학생들을 가

르치다 보니 그 안에 어려움이 많은 학생들을 서로 알고 있다. 어려운 학생들을 그냥 지나치시지 않고 개인적으로 반드시 도우시는 교수님의 마음에서 진정한 "정"을 느끼게 된다.

의意: 박병기 교수님은 풍부한 지식과 따스한 감성으로 늘 이 사회를 보다 나은 사회로 바꾸어 가시기 위하여 끊임없이 실천하시는 분이다. 항상 이웃을 돌아보며 이웃의 필요를 채우시기 위하여 애쓰시는 교수님의 삶을 통하여 이 시대의 진정한 교육 실천가이심을 보게 된다. 또한, 그분은 다음 세대를 바로 세우시기 위하여 끊임없는 연구와 새로운 방향들을 모색하시며 제시하시는 실천가이다. (의)

박병기 교수님을 가까이 바라보면서 이 시대에 지, 정, 의를 논의할 수 있고 주장할 수 있는 자격이 충분이 갖추어진 분이심을 너무나 잘 알고 있기에 오늘 쓰는 이 추천서에 이 책을 통하여 수많은 독자들이 변화될 것에 대한 저의 기대하는 마음이 많이 담기게 됩니다. 저는 믿습니다. 지,정,의 학습법은 과연 하버드를 넘어선 세계 최고의 교육 매뉴얼이 될 것임을…

장승기 한국 누가회 회장, (주) 킨티브 대표이사

"로봇은 로봇답게 사람은 사람답게." 지정의 학습의 개발자이며 미래교육리더십 연구가인 박병기 교수는 인공지능AI의 출현으로 더 빨리 다가온 4차 산업혁명 시대를 맞이해 이 학습법을 차분하게 그리고 확신에 찬 어조로 풀어가고 있다. 이는 미래교육의 목표와 방향성이 대해 갈피를 못

잡고 있는 교육 현장에 있는 교사와 학생 그리고 학부모들을 향해 새로운 희망과 가능성을 보여주고 있다. 더욱 혼란스러워진 포스트 모더니즘 시대를 한숨섞인 걱정과 미래에 대한 막연한 두려움 그리고 삶의 총체적인 위기 의식을 갖고 살아가는 이 시대 모든 사람들에게 깊은 통찰과 영성지능으로 개발한 학습법을 소개하고 있는 것이다. 저자는 지정의 학습법으로 하나님이 창조하신 인간다움의 회복을 이 책에서 제시하고 있다. 이 책을 통해 그리고 지정의 학습법으로 진정한 인간다움이 회복된 다음 세대와 교육 현장에 있는 모든 이들이 두려움과 걱정을 기쁨과 소망으로 바꾸어 미래 시대의 주역이 되기를 기대하고 소망한다.

한규완 (주) 킨티브 이사

이미 우리 삶에 깊히 들어오기 시작한 4차 산업혁명 시대를 우리는 어떻게 준비하고 있을까? 기술 발달에 대한 환호가 있는 반면 상당수의 사람들은 인간의 상대적인 무능력에 대한 우려를 하고 있는 것 같다. 산업혁명이 인류의 삶을 풍요롭게 만들었던 역사가 가져다준 막연한 낙관론을 가진 분들을 보면 두려움을 그런 식으로 감추는 것 같아 보인다. 미래에 대한 어떤 생각을 가지고 있는 것과는 무관하게, 미래를 준비하는 단 하나의 방법은 바른 교육이다. 최근 바른 교육에 대한 관심은 높아져가고 있다. 인공지능AI 시대를 준비하는 지정의 교육을 오랫동안 진행해온 박병기 교수가 이끄는 거꾸로 미디어에서 이 내용을 책으로 발간한다는 소식이 정말 반가웠다. 단순한 이론이 아니라 수년동안 현장에서 학생과 학부모와 선생님이 함께 노력하며 경험한 지정의 교육의 가치를 미래를 준비하는 모든 학생들이 경험할 수 있기를 바라는 소망 때문이다. 열린 마음으로 가치를 나누시는 거꾸로 미디어의 모든 분들에게 짧은 글을 통해 큰 감사의 인사를 드린다.

허성영 맑은샘광천교회 부목사

인간의 됨됨이 보다는 실력위주의 학습이 만연해 가는 때에 AI의 등장은 이러한 흐름을 가속화시키고 있는 게 아닌가 우려가 됩니다. 이런 시대에 사람의 인격(지정의)에 맞추어진 학습법이 나온 것은 참 다행스러운 일이라 생각합니다. 기존의 학습법은 사람의 한 쪽 면에만 맞추어져 균형을 잃는 경우가 많으나 지정의 학습법이 새로운 균형잡힌 대안이 될 수 있기를 기대해하며 추천합니다.

Obed Tetteh DLE students at WGST, I.E.V. study participant

I have been a student of the I.E.V. study - which was invented and led by Professor B.K. Park, for some months now, and I can testify to the noticeable transformational it has brought to my life. I can sense the revival taking place in my life. Moreover, that makes me feel that I am on track to living a meaningful life. Therefore, I would recommend this I.E.V. book to anyone who wants to know how to live a fulfilling life. This is a book that will make you feel recovered and sustain you in the era ahead when everything else seems to be crumbling around you. This book will help you find your discovery of your authentic self and purpose in life.

Joelle Nombi DLE students at WGST, I.E.V. study participant

The I.E.V. study is an online educational program that cultivates talent for a new era. It's easily accessible anywhere and focuses on the head (Intelligence), heart (Emotion), and will (Volition). The I.E.V. Study support students without distinction of social life (economically marginalized student). It is very interactive and educative because it offers the opportunity to share ideas, experiences and learn something new from others. The I.E.V. Study allows people to be responsible for what they are doing and allows them to be engaged and updated in global things or issues. It prepares the young generation to face the fourth industrial revolution for the future generation.

The I.E.V. study is a very efficient and very informative program. It allowed me to be updated on a lot of matters. Often, when I read articles concerning politics or science, I was reading it as a simple reading but with the idea of the I.E.V. Study, everything has changed. When I read an article, I try to understand and learn from the article, then I bring out my emotion and think about what I can do for myself and for others. The I.E.V. study allowed me to focus on the impact of technological change on the future life.

My main opinion is to suggest the I.E.V. Study become a permanent school subject in the world's different education system. As a subject, the I.E.V. Study will allow students to do self-train, to do regular scientific research, and also to develop their knowledge and skills according to the speed of new technologies that will change the world in the next upcoming

years, to learn something new all the time from others and share experiences.
Moreover, for a better world, the volition is very important because the personal implication is active, and the thought of the others intervenes too, which will push to share and care. "If we do not depend any more so much on the material world, how do we define our purpose as human beings and here particularly also in an aging society. I think we have to come back much more to caring. So, replacing consuming and producing by sharing and caring." (Schwab, World Economic Forum on the Fourth Industrial Revolution, 2019).
The very important thing that I learned and still learning is above all, what to do for the future generation to facing new technology, to have a love for each other, and to share and care for others. We also need social relations and psychological strength." Older people who have many experiences in life can help the younger people with." (Noah Harari, 2020).
It will be good and beneficial to introduce the I.E.V. Study worldwide to prepare future generations.

Kwame Korang Brobe-Mensah

DLE students at WGST, I.E.V. study participant

The I.E.V. study is an online educational program that makes it easily accessible globally, irrespective of your geographical location. The I.E.V. study seeks to train the individual to be holistic and cope with challenges, especially everyday activities. Through the I.E.V. study, I have learned team cooperation because participants have to comment or establish a discussion. The articles and videos shared on the platform are equally educative and informative. I always learn something new. Through the program, my approach and understanding of things have changed. I try to think about how best I will contribute to others' well-being and the world at large.

Through the I.E.V. Study my passion and zeal to research more on a daily basis have increased. Every day, any moment, and at any given point in time, I try to search and look for something new to add to my scope of knowledge.

The articles and videos shared on the I.E.V. platform have helped me learn a lot about the Fourth Industrial Revolution Era and how to cope with some of the challenges that the new

era is likely to pose, such as unemployment.
Last but not least, I have learned from the I.E.V. study on the need to show love, affection, and care for others, which are some of the vital ingredients and characteristics that every individual should strive to have, especially in the wave of the Fourth Industrial Revolution Era. The I.E.V. study focuses on the need to help and contribute to the development of one's community by applying the head (intelligence), heart (emotions) and guts (volition). It admonishes us to put into practice what we learn for the collective good of all.

Mang Ngaih Cin

M.A. student at WGST, I.E.V. study participant

As an I.E.V. study student, I would like to thank Professor Byung Kee Park, the founder, and inventor of this I.E.V. and eBPSS Micro-College. I have participated in the I.E.V. study five days a week for 15 weeks and I've added my knowledge and writing skills in this program. I read many articles and up to date journals in the I.E.V. Study. I never read about GPT-3, AI, the Fourth Industrial Revolution, writing methodology, etc. This

stuff is beneficial because I learn new kinds of stuff and now use Grammarly, Typecast, Essaybot, Quillbot, Counseling AI, and others.
One of the most important things I found is that I can start writing whether I can write well or not. I learned that everyone can write if they start writing with any topic. Many people think they can't write, well, and they're not a good writer. I encourage them to participate in this program.
I became a good reader/leader for the future. Without reading and writing notes or any inspiring post, a leader will not qualify for future leaders. The leader should know the latest news of the day and distinguish the state and situation. That's why I.E.V. study asks participants to regularly read a book or a journal and take notes on essential items.
For our future education system, the I.E.V. study will be the best teaching skill and course for the students because I already experienced the I.E.V. study course and what it gives me to improve my education and become a future leader. I learn many things from Professor B.K.Park. I admire his innovative mind and his modern concept of teaching style. Therefore, I

would like to thank you to Prof. Park and my co-participants, who wrote comments to my writings, encouraged other participants, and strengthened my thoughts.

CONTENTS

CHAPTER

01

AI 시대 인재 만들기 **지정의 학습**

"학교의 주된 목적 가운데 하나는 지적인 교육이지만
교사는 자신이 가르치는 학생이 전인이라는 점을 결코 잊어서는 안 된다.
그러므로 학교는 지성만을 훈련해야 하는 것이 아니라 감정과 의지에도
호소해야 한다. 효과적인 교육은 학생 안에 과목에 대한 사랑과 그 과목에
대해 더 배우고 싶은 욕구를 불러일으켜야 하기 때문이다.
더 나아가 학교는 지성뿐만 아니라 몸에 대한 관심도 나타내야 한다."[10]

- 앤서니 후크마

1) 지정의 학습의 기초[A]

앤서니 후크마[11)][B]에 따르면 학교 교육은 전인적인 사람을 키워내는 것이 중요하며 전인적인 사람은 지-정-의知情意를 잘 갖춘 사람이다. 지정의에 익숙하지 않은 사람은 지정의를 잘 갖춘 사람의 이미지가 쉽게 그려지지 않을 것이다. 비즈니스 세계의 예를 들어본다. 「세계 일류기업은 어떻게 리더를 양성하는가」[12)] 라는 책에서 저자들은 '완전한 리더를 양성하는 게 쉬운 일은 아니지만, 지-정-의를 갖춘 리더를 세우는 것에 집중한다면 불가능한 것은 아님'을 강조한 바 있다. 이 책의 저자는 지-정-의라는 표현 대신 머리, 가슴, 배짱이라는 표현을 썼다. 리더 대부분이 머리知만 갖췄

A 1장의 주요 내용은 박병기의 저서인 '4차 산업혁명 시대의 리더십, 교육 & 교회'에서 주로 발췌했음을 미리 밝힙니다.

B 열 살 때 미국으로 이민한 네덜란드계 미국인. 칼빈대학교(B.A. 1936년), 미시간 대학교(M.A. 1937년), 칼빈 신학교(M.Div & Th.M. 1942년, 1944년), 프린스턴 신학교(Princeton Theological Seminary, Ph.D. 1953년) 출신이다.

거나 가슴情만 갖췄거나 배짱意만 갖췄지, 모두를 고르게 갖춘 경우가 드물기에 불완전한 리더십이 나올 수밖에 없다고 이 책의 저자들은 말한다. 이 책의 저자들은 한쪽으로 쏠려 있는 리더에 대해 다음과 같이 설명한다.

"현대의 리더들은 흔히 단 하나의 자질, 즉 머리 혹은 가슴 혹은 배짱(하나)에만 전적으로 의존하는 모습을 보이고 있다. 불행하게도 이럴 경우 성공에 필요한 다른 면을 간과하게 된다. 만약 엄격하게 분석적이고 엄밀한 리더십을 추구한다면, 아마 사람들은 뜻밖에도 무감각하고 비윤리적으로 반응할 것이다. 이러한 리더십으로는 좁은 범위를 뛰어넘는 광범위한 상황에서는 효과적으로 대응할 수 없다. 한편 연민하는 감성적인 리더십을 추구한다면, 기민하고 전략적인 기회를 포착하지 못할 것이다. 그리고 확신과 강건함에 기반하여 용기에만 전적으로 의존하는 리더십은 사람들에게 부정적인 결과를 초래할 수 있다."

「세계 일류기업은 어떻게 리더를 양성하는가」의 저자들은 전인적인 리더가 되기 위해 머리 리더십知, 가슴 리더십情, 배짱 리더십意을 동시에 키울 것을 강조한다.

'머리 리더십知'을 위해 기존의 방식을 재고하고, 필요한 경우 영역을 재구성하고, 복잡한 세계를 파악하고, 단기 목표를 기억하되 전략적으로 구성하고, 조직 내부 혹은 외부 어디서든 아이디어를 모색하고 견해를 개발하는 것을 소개하고 있다.

이게 도대체 무슨 말인가. 필자(박병기)에겐 독창성과 창의성을 머리에 유지하라는 말로 들렸다.

'가슴 리더십情'을 위해서는 사람들과 업무의 필요성 사이에서 균형을 유지하고, 신뢰를 쌓고, 다양한 문화에서 진정한 공감을 개발하고, 사람들이 진실로 헌신하는 환경을 창출하고, 진정 무엇이 중요한지를 파악하고, 잠정적인 일탈 행위들을 파악하고 극복하기를 원한다. 필자에게 이 내용은 가슴으로 상황을 깊이 있게 느끼는 것이 중요함을 강조하는 말로 들렸다.

마지막으로 '배짱 리더십意'을 위해서는 불완전한 데이터로 모험을 감행하고, 리스크와 보상 사이에서 균형을 잡고, 난관이 있음에도 굴하지 않는 고결함으로 단호하게 행동하고, 성공에 필요한 것을 집요하게 추구하고, 역경에도 굴하지 않고 인내하며 어려운 의사 결정이라도 두려워하지 않고 처리하기를 할 것을 강조한다. 이 내용은 필자에게 '실천의 전문가가 돼라'로 들렸다.

결론은 지정의를 갖춘 전인적인 리더가 필요함에 대해 비즈니스 세계의 전문가들도 한목소리를 내고 있다고 말을 하는 것이다.

세계경제포럼의 의장인 클라우스 슈밥[13)]에 의하면 제4차 산업혁명 시대는 '상황맥락지능, 정서지능, 영감지능, 신체지능'을 갖춘 인재를 키워내고 세우기를 요구한다고 한다. 필자는 이 4가지 지능을 지-정-의-체로 보았다.

슈밥이 말하는 상황맥락지능은 다양한 분야에 있는 사람들과 대화하고 토론하며 총체적인 지식을 얻는 능력인데 이는 단순한 지식을 얻는 게 아니라 다른 사람과 토론하거나 다른 사람의 글을 읽거나 강의를 들으면서 통찰, 분별, 깨달음을 얻는 것을 말한다. 총체적인 지식은 AI가 흉내 내기 어려운 지식이다. 필자는 이를 지정의 중 지知로 보았다.

다양한 분야의 협력을 제도화하고 계층구조를 수평화하고 창의적 아이디어를 격려하는 환경으로 이끄는 능력은 정서지능에서 나온다고 슈밥은 보았는데, 이것의 출발은 진정성 있게 느끼는 것과 공감하는 것에서 출발한다고 할 수 있다. 필자는 이를 지정의에서 정情으로 보았다.

슈밥은 또한 공공의 이익을 위해 함께 탐구하고 발전시키고 공유하는 것을 영감지능이라고 했고 필자는 이를 지정의에서 의意로 보았다. 슈밥에 따르면 새 시대의 인재는 지-정-의-체가 회복되는 사람이다.

'회복'이라는 표현을 쓰는 이유는 사람은 태어나자마자 그리고 살아내면서 수많은 경험을 통해 지정의가 조금씩 망가졌고 어떤 이는 회복 불능의 상태까지 이르렀다는 세계관이 기초가 되기 때문이다.

회복 불능처럼 되어 버린 이 지정의를 회복할 수 있을까? 사실 불가능한 일처럼 보인다. 필자는 교육을 통해 회복할 수 있다는 가설을 세웠다. 그리고 그 가설하에 필자는 다음과 같이 지-정-의 학습을 진행했다.

지知(통찰, 분별, 성찰 등): 학습자로 하여금 정해진 분량의 독서를 하거나 영상을 보면서 새롭게 알게 된 것, 배우게 된 것을 나누게 한다. 전에는 알지 못했거나 희미했지만 인지하게 된 내용, 뚜렷하게 인식하게 된 내용을 적게 한다. 분별력이 강화된 부분, 이해와 성찰이 있었던 부분을 적게 한다. 그리고 작성한 것을 각자의 교육 플랫폼(구글 클래스룸, 밴드, 카카오톡 등)에서 나누게 한다. 지知는 앞서 이야기한 것처럼 인공지능이 범접하기 힘든 통찰, 분별, 성찰의 지능과 연관이 있다.

정情(감정, 사랑, 희로애락 등): 어떤 글을 읽거나 영상을 볼 때 인간만이 갖게 되는 지知를 통해 얻어지는 인간만의 감정을 쓰는 것이다. 감정의 표현만 쓰는 게 아니라 실제로 일게 된 진정성 있는 감정을 쓰는 것이다. 만약 그런 감정이 일지 않는다면 읽고 보는 것의 참 의미는 떨어진다는 가정하에 감정을 쓰도록 이끌고 있다.

의意(뜻, 의지, 결정, 선택, 비전 등): 책을 읽으면서(또는 영상을 보면서) 지와 정을 경험하게 된 것을 어떻게 의지적으로 적용할 것인지를 지정의 학습자에게 적도록 했다. 왜 그런 결정을 내렸고, 그런 선택을 하기로 했는지를 '지'와 '정'을 바탕으로 적게 했다. 또한, 꿈, 노력, 성실함, 실천, 행함의 결심 등을 '지'와 '정'을 기초로 적게 했다. 단, 의는 실천적이고 확인 가능한 그 무엇이 되도록 했다.

이렇게 지정의를 쓰는 것과 회복은 무슨 연관이 있을까. 깨달았거나 분별했거나 성찰하게 되면 이는 우리의 뇌를 자극한다. 이 자극을 통해 부분적으로 죽어 있는 뇌가 되살아나고 이 살아난 뇌가 어떤 감정을 일으키고 그것이 행동으로 연결되게 할 때, 마치 세포가 살아나는 느낌이 들게 된다. 이 책의 필자들은 뇌과학자들이 아니기에 이를 뇌파 검사 등으로 입증하지는 못했다. 하지만 이 책의 뒷부분에 나오는 지정의 학습 참가자의 설문조사 결과를 통해 회복이 일어남을 입증하려고 했다. 깨달음, 분별, 성찰이라는 단어들은 동양적인 사고에서는 해탈, 득도 정도로 해석할 수 있는데 필자가 의도한 결과는 그런 게 아니라 독특성, 창의성 등이었다. 통찰, 분별, 성찰로 뇌가 자극되어 독특성, 창의성이 나올 때 우리의 감정이 움직이고 어떤 실천으로 이어질 수 있다고 필자는 보았다.

다시 한번 자문해본다. 이게 회복과 무슨 상관이 있는가.

지정의 학습 참가자가 읽은 텍스트나 영상은 대부분 건전한 컨텐츠였기에 이를 읽거나 보면서 통찰, 분별, 성찰이 이뤄지고 여기에 독특성, 창의성이 자극된다면 건전한 감정과 건전한 행동으로 이어지게 되고, 이 행동이 반복되면 인간의 회복으로 이어진다는 것이 지정의 학습의 이론이다.

2) 언택트 시대의 지-정-의 회복

많은 사람이 언택트 교육에 대해 부정적인 견해를 피력한다. 언택트라는 말은 부정어 Un과 Contact의 tact를 합한 한국식 영어로 서로 얼굴을 보지 않은 상태에서 교육이 이뤄지면 언택트 교육이라고 할 수 있다. 사람들은 언택트 교육은 인격적이지 않고 공부하는 사람들 간의 교제가 충분하지 않기 때문에 적절하지 않다고 한다. 그런데 '기존 교실의 교육 현장에서 인격적인 교류와 지정의가 회복되는 교육이 이뤄지고 있는가?'라고 질문을 한다면 선뜻 "그렇다."라고 말하는 사람은 많지 않을 것이다. 필자가 경험한 바로는 기존 오프라인 교실에서도 서로에 무관심할 수 있다. 어떨 때는 오프라인 교실에서 왕따나 학원 폭력이 비일비재하게 일어난다.

언택트 교실이 만들어지면서 좋았던 점은 학교 폭력이 거의 사라졌던 점이다. 언택트 상황이기 때문에 좋은 교제가 발생하지 않는 것이 아니라, 사람의 마음 자세에 따라 상황이 달라진다. 언택트냐 컨택트냐가 이슈가 아니라 개인의 마음 자세에 따라 관계는 얼마든지 달라질 수 있다는 게 논점이다.

필자는 각계각층의 참가자들이 자신이 있는 곳에서 이동하지 않고 언택트 플랫폼을 통해 총체적 관점을 얻는 능력(지知. 상황맥락지능)을 높일 수 있다고 보았다. 한두 사람이 학급을 지배하는 것이 아니라 모두가 함께 참여하게 함으로써 협력과 공동 성장을 제도화할 수 있다고 필자는 보았다. 또한, 각자 있는 곳에서 눈치 보지 않고 창의적인 생각을 언택트 플랫폼에 나눌 수 있다고 생각했다. 이는 곧 자연스레 창의성을 격려하는 환경으로 이끄는 능력(정情. 정서지능) 향상으로 이어질 수 있다. 또한, 다양한 사람들이 바쁜 가운데에서도 머리를 맞대고 공공의 이익을 위해 함께 탐구하고 발전시키고 공유할 수 있다(의意. 영감지능).

언택트 교육이 아니었다면 결코 만나기 힘든 사람들이 만나서 공공의 이익을 추구할 수 있다. 지정의 학습은 언택트 교육으로 이뤄져 '협력'을 통한 지정의의 회복과 상황맥락지능, 정서지능, 영감지능의 향상을 꿈꾸며 디자인되었다. '회복'과 '협력'이 지정의 학습의 키워드다.

CHAPTER

02

지정의 학습,
이래서
최고의 학습법

'만약 사람이 아무도 살지 않는 섬,
무인도에 간다면 무엇을 가져가고 싶으신가요?'

이런 질문을 받아 본 적이 있는가? 이 질문에 답을 하기 위해서는 먼저 '무인도'의 개념을 알아야 한다. 무인도는 아무도 살지 않는 곳이다. 누군가에겐 고립이 될 수도 있고, 누군가에겐 일상의 스트레스를 날려 보내고 혼자만의 쉼을 누리는 곳일수도 있다. 또 다른 누군가에겐 아무도 없는 곳에서의 혼자라는 두려움과 외로움일 수도 있고, 사람들의 시선에 의해 만들어진 사회적인 나를 벗어던지고 오로지 진정한 '나'를 그대로 보여줘도 되는 설렘일지도 모른다. 그렇다면 당신에게 무인도는 어떤가? 2017년 현대 자동차 그룹에서 사내 직원들에게 이 질문을 가지고 그들의 이야기를 들어보았다.[14)]

'생존'에 목적을 둔 한 직원은 불을 위한 가스 토치, 무인도에서 먹을 수 있는 것과 먹지 못하는 것을 구별하게 해주고 심심함을 달래줄 수백 수천 권의 책이 저장된 스마트 폰, 스마트 폰의 배터리 유지를 위한 발전기를 꼽았다. 무인도를 '낭만'으로 생각한 한 직원은 피아노와 악보와 녹음기를 가지고 가서 오직 자신만을 위한 연주와 감상을 하고 싶다고 말했다. 도심 속에서 느끼지 못했던 완전한 자유를 만끽하고픈 소망을 드러낸 것이다. '고립'이라 생각하는 어느 직원은 외로움을 달래고자 함께 지내며 말벗이 되어줄 애완견을 데려가고자 했고, 자신이 돌아오기를 애타게 기다려줄 가족의 사진을 챙기겠다고 했다. '일탈'로 생각한 한 직원은 현금을 가져가겠단다. 무인도에서 돈이 많아 무얼 하느냐고 물을 사람들에게 그는 "늘 갈망의 대상이었던 재화를 무인도에서만큼은 실컷 누려보고 싶습니다. 말로만 듣던 돈방석도 만들어보고, 더없이 훌륭한 불쏘시개로도 활용해보면서 무한한 허세와 자유를 경험해 볼 것입니다."라고 내적 갈망을 드러내기도 했다. 또한, 무인도를 '설렘'과 '두려움'의 공존으로 여겨 사랑하는 가족과 벗, 그리고 사랑하는 이를 데려가겠다고 말한 직원도 있었다.

다양한 답 속에서 재밌는 것을 발견하게 된다. 바로 '무인도'를 어떻게 생각하느냐에 따라 그 답이 달라진다는 것이다. 그리고 무인도에 갈 일이 있겠냐는 의구심과 함께 혹시 가게 되더라도 아주 단기간에 이루어질 여행 같은 느낌으로 이 질문을 받아들인 듯 보인다. 또한, '무인도'를 현실에서는 이루어지지 않거나 혹 이루어지더라도 단기간에 지나가며, 우리가 가진 어떤 것으로 극복 가능한 것이라 여기는 심리가 깔린 듯하다.

질문을 바꿔보자.

"제4차 산업혁명 시대를 살아가기 위해
당신은 무엇을 챙겨가겠는가?"

"제4차 산업혁명 시대를 살아갈 당신의 자녀를 위해
무엇을 챙겨주겠는가?"

이 질문의 답 역시 '제4차 산업혁명 시대'에 대한 각자의 생각에 따라 그 답이 달라질 것이다. 그러나 무인도와의 차이점이 있다. 앞서 언급한 것처럼 무인도에 가는 것은 우리 삶에서 이루어지지 않는 상상의 삶일지도 모른다. 아니 어쩌다 암초에 걸려 무인도에 정박하게 되어 지내게 될지라도 길게 잡아 수개월 안에는 돌아올 수 있는 희망이 있다.

그러나 제4차 산업혁명 시대는 우리에게 이미 도래한 시대이다. 우리 삶에서 이루어지지 않는 상상의 삶이 아니라 이미 우리 생활 전반에 조금씩 스며들어 우리에게 그 존재감을 드러내고 있다. 또한, 제4차 산업혁명 시대는 길게 잡아 수개월 안에 다시 예전으로 돌이킬 수 있는 그런 시대가 아니다. 코로나 19를 겪으며 어떤 생각과 감정을 느꼈는가. 어떤 삶의 변화를 느꼈는가. 많은 학자는 코로나 19는 제4차 산업혁명 시대의 촉매제이지만 4차의 그 놀라운 속도와 변화에 비하면 아무것도 아니라고 한다. 또한, 인공지능 시대의 도래로 인간보다 더 뛰어난 인공지능들이 인간의 일자리를 대체하며 위협의 존재로 부상하고 있다.

다시 질문으로 돌아가 보자. 이미 우리 삶에 와 있는, 우리의 생존을 위협하는 거대한 파도와 같은 예측 불가능한 시대. 바로 제4차 산업혁명 시대를 살아내기 위해 우리가 챙겨야 할 것이 무엇이며, 특히 이런 시대를 우리 기성세대보다 더 피부로 느끼며 현실로 살아갈 미래 우리 아이들을 위해 우리가 그들의 여정에 챙겨주어야 할 것이 무엇일까?

"여행은 어디를 가느냐가 중요한 게 아니라
누구와 함께 가느냐가 중요하다."

이런 말을 들어본 적이 있는가. 필자(김미영)는 이 말에서 힌트를 얻었다. 제4차 산업혁명 시대. 예측 불가능하며 누구도 가본 적 없는 시대. 인공지능이 등장하는 시대. 신인류의 등장을 예측하며 모두가 긴장하는 시대. 이런 시대를 내가 그리고 우리 아이들이 '누구'와 함께 가야 할까를 고민했다. 그리고 그 답을 함께 나누고 싶다. 바로 '하버드에도 없는 AI 시대의 최고 학습법'인 이 지정의 학습을 친구로 삼아 제4차 산업혁명 시대를 살아내기를 바란다.

필자(박병기)는 미래 교육에 대한 깊은 고민 끝에 제4차 산업혁명 시대를 살아갈 미래 인재 양성을 위한 다음과 같은 미션과 비전을 품었다.

"제4차 산업혁명 시대의 거대한 파도 속에서 차세대가
빅픽처(Big Picture), 9번째 지능(Spiritual Intelligence),
서번트 리더십(Servant Leadership)의 역량을 키워 시대의 큰 파도를
마음껏 즐길 수 있는 새 시대의 서퍼(Surfer)로 양성하는 것이다."

그리고 이러한 미션과 비전을 이루기 위한 기초 훈련으로 우리는 지정의 학습을 개발했다. 지정의 학습은 AI와 함께 살아갈 제4차 산업혁명 시대의 마스터키가 될 것이다. AI는 고도로 발전되어 가고 있기에 기존의 암기 위주의 교육으로는 AI를 인간에게 이롭게 컨트롤하며 함께 살아갈 수 없다. 미래 교육은 AI에 없는 인간만이 가진 고유성을 계발시킬 수 있는 교육이 필요하다. 이에 지정의 학습을 통해 현시대 최고의 지성 교육이 이루어지는 하버드에도 없는 AI 시대의 최고의 학습법을 제시하고자 한다.

우리는 이 글을 읽는 여러분이 지정의 학습을 단순히 학습법, 공부법, 독서법과 같은 어떤 학습 도구로 바라보지 않았으면 한다. 지정의 학습은 AI 시대를 살아갈 준비를 위한 훈련이고, 경험해보지 못한 혼돈과 두려움에서 생명을 살리는 학습이며, 예측 불가능한 시대를 살아갈 당신과 당신 자녀의 다정한 친구가 되어줄 학습이다.

제4차 산업혁명 시대의 거대한 파도를 마음껏 즐기는 새 시대의 서퍼가 되도록 이끌어줄 '지정의 학습'이라는 친구를 당신에게 소개하고자 한다.

제 1 절 변화를 위해 기록해야 한다[C]

많은 사람이 지금보다 더 나은 삶과 행복을 위해 변화를 원하고 있다. 그러나 시작을 어떻게 해야 할지 몰라 주춤거린다. 때론 변화 자체에 대한 거부감과 두려움으로 시도조차 하지 못한다. 모두 '변화'를 너무 크고 어려운 것으로 생각하는 오해와 편견 때문이다.

어떻게 하면 변화할 수 있을까. 변화를 위해 기록해야 한다고 말하는 이들이 있다. 「라이톨로지: 굿라이프 인생 좌표 상위 1%의 성공의 과학」의 저자 임재균은 책을 쓰기 위해 약 1,600여 명 정도의 성공한 사람들에 대한 다양한 자료를 수집하여 조사했다. 조사는 '성공하는 사람들의 성공 원인에는 뭔가 특별한 것이 있지 않을까'하는 질문으로 시작했다. 조사 결과, 그들에겐 한결같이 '기록한다'라는 공통점이 있음이 발견됐다. 임재균은 성공한 사람들에 대해 "그들은 종이 위에 자신들의 꿈과 목표를 적었고, 꿈을 현실로 만들었다"라고 평가했다. 그가 조사한 성공한 사람 중 세계적으로 유명한 CEO 두 명의 내용을 소개해 보고자 한다. 그 내용을 정리해보면 다음과 같다.[15)]

C "백만달러 교훈을 알려줄게요. 바로 메모입니다." 오나시스 (참고: 완벽한 공부법) 영상 참고 자료 https://youtu.be/q7f4ThaW1r0

의료, 통신, 호텔, 우주여행 등 400여 개의 기업을 운영하며 오늘날 가장 유명한 기업가 중의 한 명으로 불리는 버진 그룹Virgin Group의 리처드 브랜슨Richard Branson. 그는 자신에게 가장 소중한 물건으로 항상 뒷주머니에 가지고 다니는 '작은 노트'를 꼽는다. "이 노트가 없었다면, 버진 그룹을 지금처럼 키우지 못했을 겁니다"라고 말할 정도로 '기록하기'를 중요하게 언급했다. 그리스의 선박왕, 애리스토틀 오나시스Aristotle Onassis 역시 인생에서 가장 중요한 교훈으로 '기록하기'를 강조했다. 그는 항상 노트를 가지고 다니면서 아이디어가 떠오르면 바로 적으라 말한다. 비즈니스의 핵심은 행동인데 적으면 행동을 부르지만 적지 않으면 잊어버리게 되고 잊어버리면 행동할 수 없다고 말했다. 그는 행동의 원천을 '기록하기'에서 찾았고, 이것은 경영대학원에서도 가르쳐주지 않는 백만 달러짜리 교훈이라며 '기록'의 중요성을 한번 더 일깨워주었다.

세계적으로 유명한 공학자이자 '구글 X'의 신규 사업개발 총책임자인 모 가댓Mo Gawdat 또한 행복을 위한 변화의 첫걸음으로 '기록'을 강조했다. 그는 공학자답게 인간은 애초부터 행복하게 살도록 설계되었고 인간의 초기 상태가 바로 '행복'이라 생각했다. 이에 큰 성공과 부를 이루었지만, 불행하다 느낄 때면 가댓은 행복을 찾기 위해 '행복 목록'을 작성했다. 이것은 행복감을 느끼는 시간을 빠짐없이 무작정 기록하는 것으로 가댓은 이 과정을 통해 이미 행복을 경험했다고 말한다. 그는 '행복 목록'을 작성하는 것이 일시적인 행복을 넘어 장기적인 행복에 기여하는 '감사하는 마음'을 키우는 데에도 도움을 주었다고 소회를 밝혔다.[16)]

리처드 브랜슨, 오나시스, 모 가댓은 더 나은 삶과 행복을 위해 '기록하기'를 시작했다. 일상에서의 기록은 삶의 변화를 일으켰고 나아가 당면한 문제 해결의 열쇠가 되었으며 성공과 행복의 밑거름이 되었다. 이들의 변화와 성공 그리고 행복의 토대가 바로 기록이었다.

개인의 주관적인 삶에 대한 일반화의 오류라고 생각하는가. 그렇다면 객관적 데이터로 입증해 줄 연구는 없을까.

텍사스 경영대학원의 인기 교수인 라스는 행복에 관한 연구를 진행했다. 그는 연구 집단 학생들에게 긍정적인 생각과 부정적인 생각을 2주 동안 적어보도록 했다. 5년간 1,500명이 넘는 사람들과 이 과정을 진행했는데 한 가지 흥미로운 점이 발견되었다. 기록하기 전과 후의 부정적인 생각에 대한 정도가 확연한 차이를 보였던 것. 기록하기 전에는 25~40% 정도일 것이라 예상했던 부정적인 생각이 실제로는 50~70%였다. 만약 기록하지 않았다면 예상한 것보다 더 큰 비중의 부정적인 생각이 우리를 행복하지 못하도록 만들었을 것이다.[17)]

여기서 기록하기 전과 후의 확연한 차이의 이유가 무엇인지 궁금해진다. 동기부여 및 자기 계발서인 「미라클 모닝」의 저자 할 엘로드Hal Elrod는 그 답을 알려준다. 그에 따르면 인간은 본능적으로 '차이'에 집중한다. 현재 성과와 성취하지 못한 성과 간의 차이, 너와 나의 차이, 지금의 나와 이상적인 나와의 차이 등 간극을 느끼며 그 사이에서 괴로워한다. 그런데 기록을 하면 달라진다. '기록하기'는 이러한 인간의 본능에서 벗어나게 해준다. 또한, 기록을 하면 일 주 전, 한 달 전의 나와 정확한 비교가 가능해지므로 자기 위치를 분명하게 알게 해준다고 한다. 기록은 막연한 차이가 아닌 정확한 차이로 상황을 인지하게 해주는 것이다. 이뿐만이 아니다. 기록하는 것은 성과, 감사, 결심과 같이 더 중요한 것에 집중할 수 있게 해준다고 말한다. 그러면서 하루를 더 깊이 바라볼 수 있고 스스로 이룬 발전에 더 자주 기뻐하게 된다며 기록이 주는 이점을 강조했다.[18)]

'기록'의 중요성을 강조하고 기존의 데이터들과 일치하는 결과를 얻은 국내 연구는 없을까. 신영준 박사가 다년간 진행해온 '데일리 리포트'가 있다. 많은 사람은 큰 그림을 그리고 더 나은 삶을 위해 변화하기를 바란다. 하지만 '시간이 없다.'라고 말하는 경우가 많다. 데일리 리포트는 이를 극복하기 위해 고안된 것으로 3개월간 자신의 하루를 노트에 1시간 단위로 적고, 몰입한 정도를 상, 중, 하로 적는 것이다. 기록자들이 직접 자기 평가를 내린 것을 살펴보면 스스로 생각한 것보다 자신의 삶에 대해 무지하다는 사실을 깨닫는다. 또한, 시간이 부족한 것이 아니었음도 발견하게 된다. 꾸준히 하기가 어렵다는 반응이 많지만, 꾸준히 3개월간 적은 사람들에게는 많은 변화가 나타났다. 괄목할만한 변화로는 기록을 의식하면서 더 생산적이고 자신에게 도움이 되는 일을 하게 된 것이다. 자기 계발을 통해 구체적인 성과를 거두는가 하면 학습량의 증가로 이해도가 높아지고 성적의 향상도 이어졌다고 한다.[19)]

거꾸로미디어연구소에서 진행하는 '미래 저널'도 그 효과성이 입증됐다. 이 연구소 소장인 필자(박병기)는 4차 산업혁명 시대를 살아갈 미래 인재를 길러내기 위해 BPSS[D]교육철학을 제안하였다. 또한, BPSS의 역량을 키워나갈 툴로서 '미래 저널'을 고안했다. 미래 저널은 7가지 영역으로 주어진 질문에 자기 생각을 기록하며 인생을 깊이 볼 수 있도록 생각의 근육을 단련해주는 저널링이다. 미래 저널 쓰기는 매일 아침과 저녁으로 나누어 7가지 항목을 기록한다. 아침에는 '감사의 제목 3가지, 나는 누구인가, 세상에 선한 영향력을 미친 사람'에 대해서 기록하고, 저녁에는 '오늘 하루 몰입한 놀이, 내가 공부를 왜 하는지/왜 사는지/왜 그 일을 하는지, 오늘 하루 중 화가 나는 일은 무엇인지를 쓰고, 마지막에 서번트 리더십 체크 항목'을 체크한다. 기록자들은 하루의 시작과 마무리를 저널에 글을 쓰면서 자신을 돌아보고 '나'와 '우리' 나아가 '세상'을 깊이 있게 생각하는 시간을 갖는다. 또한, 자신이 기록한 '감사의 3가지'와 '나는 누구인가'를 사진으로 찍어 '미래 저널 밴드'에 공유한다. 다른 사람의 저널을 읽고 댓글을 쓰는 밴드 활동을 통해 온라인상에서의 소통을 경험한다. 이러한 미래 저널 쓰기는 기록자가 삶의 변화를 체험하게 한다. 기록자는 매일 매일 자신의 내면과 주어진 환경을 돌아보는 과정을 통해 자신이 처한 문제를 인식하고 그 원인을 찾으며 나아가 해결하는 경험을 한다. 그런가 하면 그동안 돌아보지 못했던 자신의 삶을 진지하게 생각하고, 자

D BPSS는 제4차 산업혁명 시대의 새 시대 리더를 길러내기 위해 거꾸로미디어연구소 소장이자 필자(박병기)가 제안한 교육철학이다. BPSS는 큰 그림(Big Picture), 9번째 지능(Spiritual Intelligence), 서번트 리더십(Servant Leadership)의 첫 글자를 딴 명칭으로 필자(박병기)가 설립한 'eBPSS 마이크로칼리지'의 핵심 철학이다.

신의 행동을 반성하며 더 나은 삶을 위한 새로운 다짐도 하게 된다. 이뿐만이 아니다. 기록자들은 미래 저널 나눔을 통해 자신의 문제에서 벗어나 안정을 찾는 카타르시스를 경험하고, 경청과 공감을 통해 상대를 깊이 이해하며 타인을 향한 대처법도 배우게 된다.[20)]

'기록'의 중요성을 강조하고 기존의 데이터들과 일치하는 결과를 얻은 또 하나를 소개하자면, 바로 이 책이 말하고자 하는 '지정의 학습'이다. 지정의 학습 역시 기록하기의 중요성을 강조하고 있으며, 참여자들의 작은 실천을 통해 변화한 이야기로 가득 차 있다. 이에 대한 구체적인 내용은 제3장에서 다루게 될 것이다.

기대해도 좋다. 지정의 학습을 통한 놀라운 일들을 보게 될 것이다.

우리는 아침에 눈 뜨는 순간부터 잠자리에 드는 순간까지 타인이나 주어진 상황 앞에 변화하기를 요구받거나 스스로가 변화하기를 원한다. 그러나 안타깝게도 지금까지는 그저 두렵고 막막했다. 여기 실천하기 쉬운 작은 습관이 제시되었다. 바로 '기록하기'이다. 나의 하루를, 일정을, 생각과 감정을, 순간 떠오르는 아이디어를 적을 작은 노트하나 장만하는 건 어떨까. 기억하자. 변화는 기록에서 시작된다. 변화를 위해 기록해야 한다.

제 2 절 생각과 감정을 문자로 기록하기[E]

변화하기 위해 기록해야 한다는 것을 받아들이고 작은 수첩도 준비했다면 이제 한번 적어보자. 그러나 여전히 주저하게 된다. 빈 곳에 '무엇을 적어야 할까'하고 말이다. 결론부터 말하자면, 생각과 감정을 문자로 기록하면 된다. 일상에서, 휴가를 떠난 여행지에서, 직장이나 학교에서, 새로운 어떤 경험이나 낯선 상황에서, 혹은 책을 읽거나 음악을 듣고 영상을 보다가 바로 그때 일어나는 생각과 감정을 기록하는 것이다. 기록은 종이에 해도 좋고, 스마트폰의 메모장에 해도 좋다. 중요한 것은 기록하는 것이다.

시대의 지성인이라 불리는 유시민은 '생각과 감정을 문자로 표현하는 행위'를 글쓰기로 보았다. 그는 자기 생각과 감정이 무엇인지 알아야 글로 표현할 수 있다고 말한다. 그러면서 감정은 쉼 없이 생겼다가 사라지고, 생각은 잠시도 그대로 머물러 있지 않기 때문에 그 순간의 생각과 감정을 글로 적어 붙잡아두어야 그게 무엇인지 알 수 있다고 말한다. 또한, 어떤 글이나 영상, 상황을 보고 무언가를 생각하고 느꼈을지라도 문자로 정리하지 않은 생각과 감정은 내 것이 아니라고 그는 말한다. 그는 독자들에게 자기 생각과 감정을 문자로 기록해 자기 것으로 만들라고 제안한다.[21)]

생각과 감정을 기록하면 어떤 일이 생길까. 이에 대한 흥미로운 연구가 있다. 글쓰기와 건강의 관계를 연구한 텍사스대학교의 저

E 참고도서: 『유시민의 공감필법』 https://youtu.be/ys0nRl3IZBw

명한 언어분석 심리학자인 제임스 페니베이커James W. Pennebaker는 대학생들을 대상으로 속상한 일에 대한 생각과 감정을 기록하는 연구를 진행했다.

먼저 대학생을 네 그룹으로 나누었다. 한 그룹에는 과거 겪었던 충격적이고 속상한 일에 대해 생각과 감정을 글로 기록하게 했고, 나머지 세 그룹은 생각과 감정을 뺀 중립적이고 사실적인 주제에 관해서만 기록하게 했다. 이 연구는 일주일에 4일 동안 매일 15분씩 기록하는 것에 불과했지만, 4개월 후 의미 있는 변화가 나타났다. 생각과 기록을 글로 기록한 그룹은 사실만을 적은 다른 세 그룹보다 기분과 정신이 개선되었다. 이러한 변화의 이유에 대해 심리학자 찰스 E. 도젠Charles E. Dodgen은 생각과 감정을 글로 기록했을 때 속으로 눌렀던 괴로운 생각과 감정이 밖으로 표출되고, 자신에 대한 이해와 통찰이 커지기 때문이라 설명한다.[22)]

생각과 감정을 문자로 기록하는 일은 '나'를 이해하고 알아가는 것을 넘어 다른 사람에게 선한 영향력을 끼치기도 한다. 마케터인 이승희는 자기 생각과 감정을 '영감 노트(@ins. note)'라는 인스타그램 계정을 통해 공유했다. 그리고 '자신이 생각하고 느낀 기록들이 누군가에게 영감이 되면 좋겠다'라는 마음으로 계정을 운영했다. 계정 운영을 통해 5년 전의 기록이 오늘의 기록과 결합해 새로운 의미를 낳고, 자신의 기록이 누군가의 기록과 이어져 더 나은 생각이 되기도 함을 그는 깨달았다. 또한, 생각과 감정을 문자로 기록하여 공유한 일은 자신을 깊고 넓게 확장했다며 이러한 기록은 "세상을 바라보는 또 다른 관점이자 우리를 성장시키는 자산이 된

다"라고 그는 기록의 쓸모를 강조한다.[23)]

이상으로 볼 때, 생각과 감정을 문자로 기록하는 것이 글쓰기다. 이를 통해 '나'를 알아가고, '나'를 통찰할 수 있으며, 이는 정신 건강에도 도움이 된다. 나아가 '타인'에게 선한 영향력을 끼칠 수 있으며 '우리'가 함께 성장할 수 있다.

그런데 여기서 또 하나 우리의 발목을 잡는 것이 있다. 만약 감정을 표현할 수 없다면 어떻게 해야 할까. 감정 표현이 안 되는데 어떻게 문자로 적을 수 있을까. '감정 표현 불능증alexithymia'이라고 들어본 적이 있는가.

하버드 의과대학 소속 심리학자 수전 데이비드Susan David는 감정표현 불능증에 대해 "임상 진단으로 내리는 질병은 아니지만, 수백만 명의 사람들이 매일 힘들어하고 있으며, 실제로 지장을 초래하는 증상"이라고 말한다. 그에 따르면 "자기가 느끼는 감정을 구체적으로 설명하지 못한다는 것은 정신적인 건강에 문제가 있거나 일이나 관계에서 만족하지 못한다거나 혹은 그 밖의 다른 여러 가지 좋지 않은 상태와 연관되어 있다."라고 한다. 그리고 이러한 증상으로 인해 많은 사람이 감정을 설명하거나 인식하지 못하며, 그 감정들이 피로와 통증·고통과 같은 신체 문제로 나타난다고 한다.[24)]

그렇다면 감정표현 불능증을 극복하고 생각과 감정을 문자로 기록하는 방법은 무엇인가? 유시민은 책을 읽고 공부하면서 책 속에 있는 작가의 감정과 생각을 읽어내고 문자로 정리해보라 말한다. 그는 공부와 글쓰기에 대해 다음과 같이 언급했다.[25)]

> 텍스트에서 정보, 지식, 생각, 감정을 읽어내고, 그것과 교감·공감 또는 대립하는 과정 속에서 세계를 이해하고 남을 이해하고 나를 이해하는 나만의 시야나 접근법을 만들어 가는 과정이 공부다. 그렇기에 글쓰기는 각 각의 공부에서 그 수준의 글을 쓸 수 있으며 그 수준을 올리고 싶다면 계속해서 그 단계에서 느끼고 생각하는 것을 문자로 표현해봐야 한다. 그래야 그 어휘가 내 것이 되고, 뇌의 장기기억 장치에 보관이 되고, 쉽게 상실되지 않는다. 또한, 다음에 출력해서 또 쓸 수 있고 여기서 더 발전시킬 수 있다.

유시민은 생각과 감정을 문자로 기록하는 것의 중요성을 말하면서 동시에 글쓰기는 우리가 지금 하는 모든 종류의 공부 과정에 함께 이루어져야 함을 강조한다. 각자의 수준에서 책/기사/영상/교과 공부 등을 통해 작가(저작자)의 생각과 감정을 읽어내고, '지금' 생각하고 느끼는 생각과 감정을 계속해서 적어보라며 글쓰기의 과정으로 우리를 안내한다.[26)]

수전 데이비드는 감정의 언어를 배우라고 제안한다. 이것은 자기감정에 대해 스스로 물어보는 것이다. "나는 왜 이 감정을 느낄까?"라고 자신이 느끼는 감정이 무엇인지, 왜 그런 감정을 느끼는지 생각해보라고 한다. 그리고 내 감정과 마주했다면 그 감정에서 빠져나와 객관화하는 방법으로 '나는 ~을 배웠다.'던가 '~한 생각이 떠올랐다.', '그 이유는 ~이다.' 혹은 '~을/를 깨달았다.'라는 것과 같은 표현을 사용하여 자신의 감정을 기록해 보라고 말한다.[27)]

앞으로 소개할 지정의 학습에도 생각과 감정을 표현하는 글쓰기가 제시된다. 유시민 작가의 말처럼 청소년과 어른이 같은 글 또는 영상을 읽거나 보고 각자의 글쓰기 단계에서 일어나는 생각과 감정을 글로 적는다. 또한, 수전 데이비드가 감정의 언어를 배우라고 제안한 것처럼 감정 단어를 사용하여 글과 영상을 통해 느낀 감정을 구체적으로 표현하도록 훈련한다.

이제 손에 잡은 노트나 스마트 폰의 메모장에 무언가를 적을 용기가 생겼는가. 그렇다면 지금 하는 공부에서 '생각과 감정을 문자로 기록하기'를 실천해보라. 문장이 길지 않아도 좋고, 문법적 요소를 다 갖추지 않아도 좋다. 우선 시작해보라. 방법에 메여 그 중요성을 알면서도 주저했던 모습을 버리고 일단 뭐라도 적어보라. 누군가에게 보여주기 위한 것이 아닌 나만의 언어와 나만의 형식으로 말이다. 우리는 이 책의 뒷부분에 '지정의 학습' 글쓰기 방법을 제안할 것이다. 이 책을 다 읽고 마칠 때쯤에는 기록하는 방법도 자연스럽게 알게 될 것이다.

제 3 절 기록한 것을 작은 실천으로[F]

우리는 모두 무언가를 결심하고 '자, 한번 해보자!'라는 마음으로 계획을 세운다. 특히, 새해가 되거나 새로운 일을 시작할 때, 마음의 변화나 환경의 변화가 생겼을 때 계획을 세운다. 이러한 계

F 참고 도서: 습관의 재발견. 참고 영상: https://youtu.be/O-mAWM94HWE

획들은 지금의 모습에서 벗어나 더욱더 나은 삶과 행복을 위한 변화의 시작이다.

그동안 세웠던 많은 계획을 떠올려보라. 처음 계획한 대로 잘 실천하고 있는가. 어떤 계획은 잘 실천되어 좋은 결과를 얻었을 것이다. 그러나 어떤 계획은 시도조차 하지 않았거나 중도에 포기한 것도 있을 것이다. 분명 큰맘 먹고 이번엔 진짜 실천할 거라고 굳은 의지로 계획을 세웠는데 막상 실천하기는 너무 어렵다. 결연한 의지의 표출로 계획한 내용을 A4 종이에 적어 눈에 잘 보이는 곳에 붙여두기도 한다. 알람 설정을 하기도 한다. 혼자는 쉽지 않음을 인정하고 누군가의 도움을 요청하기도 한다. 그러나 이번 계획도 역시 실천 실패다. 무엇이 문제일까. 누군가는 계획을 잘 실천하는데 나는 왜 포기하는 걸까. 아니 누군가와 비교할 필요도 없이 나 자신의 어떤 계획은 실천하는데 어떤 계획은 아무리 하려고 애써도 중도에 그만두는 일이 다반사일까.

스티븐 기조Stephen Guise는 그의 책 「습관의 재발견」을 통해 실천되지 못한 계획의 문제를 짚어준다. 그에 따르면 사람들은 "욕심은 크고, 변화하기 위해 필요한 일을 실행하는 능력은 형편없으면서, 스스로 그럴 수 있다고 자신의 능력을 과대평가"한다고 한다.[28] 이러한 개인의 욕구와 능력 사이의 불일치로 계획을 실천하지 못하는 것이다.

그렇다면 기존의 실패전략을 버리고 진짜 실천할 수 있는 새로운 전략은 무엇일까. 스티븐 기조는 '작은 습관 전략'을 소개한다. 작은 습관 전략이란 변화의 부담을 느끼는 우리의 뇌를 속이는 것이다. '이것쯤이야, 쉽지.'라고 속여 심적인 부담감 없이 지속해서 실천할 수 있게 하는 전략이다. 예를 들어보자. 날마다 책 읽기 습관을 들이고 싶다면 '하루 1시간 책 읽기'가 아닌 '하루 한쪽 책 읽기'로 계획을 세우면 된다. 날마다 운동하는 습관을 들이고 싶다면 '하루 팔굽혀펴기 200개 하기'가 아닌 '하루 팔굽혀펴기 한번 하기'로 계획을 수정하라. 여기서 중요한 것은 정말 하찮고 작은 목표를 세우는 것이다. 혹시 '고작 이런 작은 목표로 기대하는 결과가 나올 수 있을까'하는 의구심이 드는가. 스티븐 기조에 따르면, 어디까지나 '작은 습관'은 최소치에 대한 기준일 뿐이다. 매일 아주 최소치로 세운 계획을 실천하되 더 하고 싶은 날은 더해도 된다. 최소치를 기준으로 유동성을 가지고 자율적으로 꾸준히 실천할 수 있도록 이끌어주는 것이 바로 작은 습관의 전략이다.[29)]

'작은 습관'의 힘을 강조하는 또 다른 작가가 있다. 「아주 작은 습관의 힘Atomic Habit」의 저자인 제임스 클리어James Clear이다. 제임스 클리어는 사소하고 별것 아닌 일이라도 그것을 꾸준히 하면 놀라운 결과를 얻을 수 있다고 말한다. 그러면서 실천할 일에 대해 잘게 쪼개서 생각해보고 그 중 딱 1%만 개선해보라 권한다. 또한, 그는 작은 습관 하나하나는 각각의 결과를 얻게 해줄 뿐 아니라 자신을 신뢰하게 만들어주어 자기 정체성을 형성하게 해주고 이렇게 세워진 정체성은 또 다른 습관을 형성하게 한다고 말한다. 그러면서 '작은 습관'을 세우고 실천할 때 어떤 결과를 얻어내겠다는 마음이 아닌 '어떤 사람이 되는 것'에 초점을 맞추라고 강조한다.[30)]

'작은 습관'으로 실천하기가 부담감 없이 가볍게 느껴지는가. 그렇지만 아직 구체적인 작은 습관을 기록하기가 쉬운 일은 아니다. 여기에 우리에게 도움을 줄 만한 책이 2020년 신작으로 나왔다. 「습관의 재발견」, 「아주 작은 습관의 힘」 이후 '작은 습관 만들기'에 대한 아마존 3대 베스트셀러인 「작은 습관 연습Small Habits Revolution」이다. 이 책은 앞서 언급된 두 책의 내용과 맥락을 같이한다. 앞 두 책과 달리 기존의 실패를 거듭하게 했던 습관을 버리고 새로운 습관을 들이도록 돕고자 23가지 작은 습관을 만드는 법을 제시한다. 이 책의 저자인 데이먼 자하리아데스Damon Zahariades(2020)는 "23가지 예를 통해 당신이 만들고 싶은 습관과 실천 방법에 대한 아이디어를 얻길 바란다. 당신의 삶에 크고 바람직한 변화를 가져다줄 루틴과 실천 방법을 떠올리는 데 도움이 될 것이다"라고 말하며 작은 습관 연습에 대해 제시한다. 그가 제시한 23가지 중 몇 가지를 소개하면 다음과 같다. 기존 계획이 '아침 식사하기'라면 바쁜 아침의 1분을 실천할 '오렌지나 사과, 바나나와 같은 과일로 식사하기'를 권한다. '충분한 수분 섭취하기'라면 '아침에 일어나면 즉시 물 한 잔을 마시기'로, '일기 쓰기'라면 '매일 다섯 문장으로 일기 쓰기'로 기존의 계획을 '작은 습관'으로 시작하도록 이끌어준다.[31)]

이제 우리 차례다. 변화를 거부하고 안정감을 원하는 뇌에 '이거 별거 아니네, 아주 쉽잖아.'라고 착각하게 만들고(저자는 이를 '선한 착각'이라고 부른다), 아무리 바쁜 상황에서도 잠시 짬 내어 실천할 수 있는 '작은 습관'으로 더 나은 삶을 위한 변화를 시작해보자. 혹시 이미 세워놓은 계획이 있는가. 그 계획을 잘게 쪼개어 1%만 실천 가능한 것으로 다시 기록해 보자. '작은 실천'을 기록하는 것이 어려운가. '이건 너무 하찮은데?' 싶은 것부터 써보라. 그 하찮은 것들이 매일 매일 쌓이면 어떤 날에는 스티븐 기조의 말처럼 유동성을 발휘해 더 많은 것을 하는 날이 올 것이다. '이 작은 실천이 정말 효과가 있을까'하는 우려를 내려놓고 앞으로 세울 계획은 머리로 생각한 것을 기록하되, 실천할 수 있고 검증 가능한 구체적인 작은 습관으로 실천해보자.

지정의 학습은 과제마다 구체적인 작은 습관을 적도록 한다. 글이나 책을 읽고, 때론 영상을 보고 새롭게 알게 된 내용에 대해 적도록 한다(지). 그리고 새롭게 알게 된 내용을 통해 느낀 감정을 적는다(정). 이후에 생각하고 느낀 것을 어떻게 삶에서 실천할 것인지 다짐한 것을 적는다(의). 지정의 학습에서의 다짐(의)이 바로 작은 실천이다. 하루 일과 중 짬을 내서 실천할 수 있으면서 검증 가능한 실천이 바로 지정의 학습에 있다. 작은 실천으로 삶의 변화를 경험하고 싶은가. 지정의 학습에서 경험하게 될 것이다.

제 4 절 성장하는 독서[G]

"이 책이 나의 모든 삶을 변화시켰다."라고 말할 수 있는 '인생 책'이 있는가. 많은 사람이 무언가 삶의 변화를 얻고 성장해 보고자 책을 찾는다. 그리고 읽는다. 그러나 그 책이 삶을 변화시키는 내 인생 책이 되지 못한다. 아니 인생 책이 되기는커녕 오늘 내 삶의 작은 부분조차 바꾸지 못한다. 모두가 그럴까. 아니다. '인생 책'이라는 단어로 검색만 해봐도 인생을 바꾼 독서에 대해 많은 책이 그 증거로 나온다. 분명 누군가는 책을 통해 삶이 변했고 성장했다. 그리고 인생이 달라졌다고 말한다. 그런데 왜 나에게는 책을 통한 변화나 성장이 일어나지 않는 것일까.

신영준은 그의 책「졸업선물」을 통해 성장하는 독서법을 소개한다. 그는 읽는 목적과 방법에 따라 전혀 다른 인생을 탄생시킬 수 있다며 4가지 읽기를 언급한다. 그가 말하는 4가지 읽기는 그냥 읽기, 요약하며 읽기, 시험을 보기 위해 읽기, 가르치기 위해 읽기다. 첫 번째, 그냥 읽기는 순간의 즐거움을 주는 읽기로 적극적으로 책을 읽지 않기 때문에 읽어도 거의 남는 게 없는 읽기다. 두 번째, 요약하며 읽기는 능동적인 자세로 독서를 시작하는 단계로 요약을 위한 상당한 집중력이 필요하다. 한 문단이 있으면 가장 핵심이 되는 단어가 있을 것이다. 요약은 각 문단의 핵심이 되는 단어를 찾는 것에서 시작한다. 핵심 단어를 찾고 그 단어들에

G 참고 영상: 성장하는 독서법 https://www.youtube.com/watch?v=P2DCCO6KO-w

적절한 수사를 붙여 서로 연결된 문장을 만들고, 그 문장들을 유기적으로 엮어내는 것, 이것이 바로 요약하며 읽기이다. 세 번째, 시험을 보기 위해 읽기는 시험을 보겠다는 마인드로 책을 읽는 것이다. 요약하며 읽기가 단순기억에 의존한 읽기라면, 시험을 보기 위해 읽는 것은 그 단기기억을 장기기억으로 전환하는 것이다. 내가 읽고 느낀 것을 말하는 단계로 특히, 독서 모임을 통해 더욱 풍성한 읽기를 경험할 수 있다. 네 번째, 최고난도의 읽기인 가르치기 위해 읽기이다. 이것은 누군가를 가르친다는 전제가 있기에, 충분한 준비와 함께, 정확한 이해를 넘어선 풍부한 이해가 필요하다. 일상에서 하는 다수 앞에서 한 발표가 곧 가르치기가 되는데, 읽은 내용을 친구나 가족에게 알려주겠다는 마음으로 읽으면 보다 효과적이다. 수동적인 독서보다 훨씬 많은 내용을 체득할 수 있고 타인에게도 지식을 맛보게 할 수 있다. 나아가 개인의 삶과 인간관계 모두가 풍요해지는 경험을 할 수 있다.[32)]

3,000권의 책을 읽은 독서 전문가 유근영[H]도 성장하는 독서에 도움을 얻고자 하는 사람들에게 자신만의 방법을 소개한다. 그는 많이 읽으려는 욕심을 버리고 한 권의 책을 읽기 시작하라고 말한다. 그리고 책을 읽으면서 메모나 체크를 하되, 책을 다 읽은 다음에는 그 부분만 빠르게 다시 읽어보라고 권한다. 기록도 적당히 하라며 그 안에서 정말 좋았던 문장을 3~5개 정도만 뽑아서 독서노트에 옮겨 적어놓고, 틈날 때마다 읽어보기를 권한다. 그러나 그

H 참고 영상: 3천권의 책을 읽은 독서 전문가가 말하는 성장하는 독서법 https://youtu.be/s_DW68HfPFw

가 정말 강조하는 것은 이것이다. 바로 "실행이 답이다!" 그는 아무리 좋은 문장, 책, 명언을 체화한다고 해도 그것을 실천하지 않으면 아무 의미가 없다고 강조한다.[33)]

나쓰카와 소스케Sosuke Natsukawa,なつかわ そうすけ,夏川 草介는 책을 대하는 올바른 자세에 대해 말해준다. 판타지로 된 그의 책에서 책 속의 할아버지를 통해 우리에게 말하는 독서의 올바른 방법. 그 내용을 그대로 옮겨보면 아래와 같다.[34)]

> 무턱대고 책을 많이 읽는다고 눈에 보이는 세계가 넓어지는 건 아니란다. 아무리 지식을 많이 채워도 네가 네 머리로 생각하고 네 발로 걷지 않으면 모든 건 공허한 가짜에 불과해...책이 네 대신 인생을 걸어가 주지는 않는단다. 네 발로 걷는 걸 잊어버리면 네 머릿속에 쌓인 지식은 낡은 지식으로 가득 찬 백과사전이나 마찬가지야. 누군가가 펼쳐주지 않으면 아무런 쓸모가 없는 골동품에 불과하게 되지.

작가는 책을 읽어 지식의 양만 늘리는 것보다 그 늘어난 지식을 머리로 생각하고, 직접 발로 걸어 삶에서 실천해보기를 강조한다. 「독서 천재가 된 홍 팀장」의 작가 강규형 역시 독서에서 중요한 것은 생각을 행동으로 옮기는 '실천'이라 말한다. 그는 단순히 권수를 늘리는 독서가 아닌 읽고, 기록하고, 기록한 것을 실천에 옮겨 성과를 남기는 독서를 하라고 강조한다. 또한, 독자들에게 '몇 권을 읽었는가'가 아니라 '얼마나 성장할 수 있는가'에 초점을 맞추라 한다. 그는 '1권 1실행'이라는 원칙을 제시했다. '책을 읽고 내가 배우거나 깨달은 것 한 가지는 반드시 현실에 적용하자.'라는 그의 생각이 반영된 원칙이다. 더 많이 적용해보려는 욕심을 버리고 익숙해지고 습관이 될 때까지 한 가지만 적용해보라는 것이다. 이 방법에 대해 그는 하나만 실행하게 되므로 집중력과 실행력이 높아지고, 점차 습관이 되면 적용 가짓수도 점점 늘릴 수 있게 된다고 말한다.[35)]

성장하는 독서법! 그 해답을 찾았는가. 책을 통한 변화와 성장을 경험하고 소위 말하는 나의 '인생 책'을 가져보고픈 마음이 생겼는가. 그렇다면 변화가 없었던 기존의 책 읽기 방법을 바꾸어보자. 그리고 변화하려는 의지와 실천의 마음을 다져보자.

앞으로 소개할 지정의 학습이 바로 책을 통해 생각한 것을 '실천'으로 옮기는 독서법이자 공부법이다. 지정의 학습은 단순히 책을 읽고 생각이나 감정을 글로 쓴 후에 끝나는 것이 아니라 생각하고 느낀 것을 삶에서 어떻게 실천할 것인지를 다짐하고 그것을 실천한다. 이러한 실천은 학습자들에게 놀라운 성장과 변화를 경험하게 한다. 지정의 학습이 바로 성장하는 독서법이다.

자, 성장하는 독서법이 무엇인지 알겠는가. 그렇다면 제일 관심이 가는 분야의 책을 한 권 골라보라. 그리고 위에 언급된 성장하는 독서를 시작해보길 권한다. 핵심 포인트는 목적을 갖고 '성장'에 집중하며 읽는 것이다. 그리고 읽으면서 기록하는 것이다. 책의 내용을 통해 알게 되거나 깨달은 점, 생각하거나 느낀 점을 적어보라. 그리고 기록한 것을 실천함으로 성과를 내는 독서 또는 글 읽기를 해보라.

읽고, 쓰고, 실천하고, 성장하는 독서로 삶이 변하고 나아가 인생이 달라졌다는 우리의 실천 후기가 여기저기서 들려오길 바란다.

제 5 절 하버드대생들의 독서법[1]

세계적 석학들의 집합소라 불리는 하버드 대학교. 이곳에서는 졸업장보다 더 중요한 것이 바로 '독서법'이다. 어떤 한 권의 책을 잘 요약해서 알려주기보다는 스스로 자신의 의견을 갖도록 독서법을 알려준다. 하버드 독서법의 가장 큰 특징은 책에 대한 시각이다. 대개 책은 '읽는다'라고 생각한다. 그러나 하버드 독서법은 '써먹는 것이다'라고 본다. 즉, 독서의 목적이 첫째는 눈앞의 과제를 해결하는 것이고, 둘째는 현장에서 월등한 결과를 내는 것이다. 그러기에 당면한 눈앞의 과제를 해결하지 못하거나 결과로 이어지지 않는 독서는 의미가 없다고 본다.[36]

하버드의 독서법에 대해 소개한 책이 있다. 하토야마 레히토鳩山玲人가 쓴 「하버드 비즈니스 독서법」이다. 하버드에 대한 동경은 전 세계가 비슷한 것 같다. 그래서 하버드와 관련된 책들이 참 많다. 그러나 독서법에 관해 소개된 책이나 번역서는 흔치 않다. 그래서 본 책의 내용을 토대로 하버드생들의 독서법에 대해 알아보자.

하토야마 레히토는 모국인 일본 대학과 하버드대학을 비교하며

1 참고 도서: 하토야마 레히토의 <하버드 비즈니스 독서법>과 고영성 & 신영준의 <일취월장> 관련 영상: https://youtu.be/GY8n6XSyosI

하버드만의 독특한 독서법을 설명한다. 우선, 일본 대학과 하버드 대학의 독서는 독서를 바라보는 관점이 다르다. 일본 대학은 독서를 외워야 할 지식으로 보아 암기를 위한 입력 수단으로 책을 활용한다. 그러나 하버드대학은 독서를 문제 해결을 위한 처방전으로 본다. 그러기에 책은 문제 해결에 적용하기 위한 출력 수단이다. 일본의 독서가 지식단계에 머무른 데 반해 하버드의 독서는 실천과 문제 해결의 단계까지 나아가도록 이끄는 독서다. 독서 서평에서도 차이가 발견된다. 일본은 요약과 감상 위주의 서평을 쓰는데 하버드는 요약만으로는 불충분하다고 본다. 책의 내용을 토대로 '나는 어떻게 행동하기로 했는가?'인 실천까지 서평에 포함되어야 한다. 이론에 대한 해박보다 실천을, 이치보다 실행을 강조하는 것이다.[37)]

이러한 하버드의 독서는 교육방식에서 비롯된다. 하버드의 수업은 책이 아닌 사례로 진행되는데, 학생은 매일 100페이지 이상의 사례집을 읽은 뒤 자신이 같은 상황이라면 문제를 어떻게 해결했을지 설명해야 한다. 각 사례를 공부하는 궁극적인 이유는 '나라면 어떻게 할까?'라는 질문을 던지고 그 답을 찾으며 문제를 해결하는 과정을 통해 '자기 의견 가지기 연습'을 훈련하기 위함이다. 이를 위해 학생은 책을 끝까지 읽거나 전부 이해해야 한다는 부담감에서 벗어나 오로지 사례를 해결하기 위한 수단으로서 책을 써먹는다.[38)]

저자는 하버드대학에서 추구하는 '자기 의견 가지기 연습'을 위한 자신만의 구체적인 방법도 소개한다. 첫째, 독서량의 차이보다는 독서를 문제 해결에 활용하는 것이 더 중요하다고 강조한다. 그러면서 어떤 문제를 해결할지 정하는 것에서부터 시작하라고 권한다. 둘째, 당면한 문제를 설정했다면 그 문제와 직결된 책 10권을 고른다. 분량보다는 실천에 더 집중하라고 한다. 셋째, 그 책을 책상 위나 늘 떠올릴 수 있고 펴볼 수 있는 장소에 두고 필요할 때마다 참고하는 것이다. 넷째, 끝까지 다 읽는 것이 아닌 부분 부분을 읽으며 문제 해결에 써먹을 핵심 문장을 찾는 것이다. 저자는 하버드 독서법의 핵심을 '문제 해결, 즉 실천'에 둔다. 이러한 그의 생각은 그의 말을 통해 입증된다. 아래는 그가 책에서 언급한 말이다.[39]

> 책은 읽는 것이 아니라 써먹는 것이다. 독서의 목적은 끝까지 읽는 것이 아니다. 만약 200페이지짜리 책의 첫 페이지에 행동을 바꿀 수 있는 힌트가 있다면 거기서 책을 덮고 바로 행동으로 옮겨라. 남은 199페이지를 읽을 시간을 실천하는 데 써라.

하버드대학생들의 이러한 독서법은 다산 정약용의 독서법과 비슷하다. 다산 정약용은 '3박자 독서법'을 강조했다. 첫째는 정독精讀이다. 정독은 뜻을 새겨가며 아주 꼼꼼하게 읽는 것으로 독자가 깊이 생각하며 필요하면 관련 자료를 찾아보면서 철저하게 근본을 밝혀내는 독서법이다. 둘째는 질서疾書이다. 질서는 책을 읽다가 깨달은 것이 있으면 잊지 않기 위해 메모하며 책을 읽는 것이다. 이것은 독서를 할 때 중요한 질문과 기록을 강조하고, 학문의 바탕을 세우며 자기 생각을 확립하는 데 도움을 주는 자발적이고 적극적인 독서법이다. 셋째는 초서鈔書이다. 초서는 책을 읽다가 중요한 글이 나오면 쌓아둔 종이를 꺼내 옮겨 적는 것을 말한다. 이때 학문에 보탬이 될 만한 내용은 추려내고 도움이 되지 않는 것은 건너뛰라고 말한다.[40)]

「단 한 권을 읽어도 제대로 남는 메모 독서법」의 저자인 신정철도 위에 언급된 하버드와 정약용의 독서법과 비슷한 독서법을 소개한다. 그는 "책 속에는 삶에 도움이 되는 가르침이 있다."라며 책을 통해 삶이 변화되기 위해서는 독서 노트를 쓰라고 말한다. 독서 노트 작성은 다음과 같다. 우선, 책을 읽으면서 밑줄을 긋거나 여백에 메모하며 읽는다. 읽으면서 나의 고민이나 문제와 관련된 문장을 찾고 그대로 옮겨 적어본 후 그 문장 옆에 자신이 어떻게 이해했고 해석했는지 생각을 적어둔다. 그리고 책을 읽고 내 삶에 적용하면 좋을 항목을 생각하고 실천 계획으로 적어본다. 그는 그 실천 항목들을 하나씩 습관으로 만들다 보면 삶이 변화하기 시작한다고 강조한다.[41)]

그냥 책만 읽으면 안 될까. 이렇게 복잡하게 책을 읽고, 깨달은 것과 실천할 것을 적고 삶에서 실천해야 하는가. 우리는 '성공'에 민감하다. 성공한 삶, 행복한 삶을 추구한다. 하버드 대학 교육학 교수 리처드 라이트는 16년 동안 1,600명과의 인터뷰를 통해 하버드생들의 성공비결을 밝혀냈다. 여러 비결 중 하나가 바로 '글쓰기에 전념한다.'이다. 미국의 학생들은 정규교육 과정에서 이미 쓰기를 배우고 또 배운다. 대입 시험의 중요 과목도 에세이 쓰기이다. 하버드 경영대학원에 입학하기 위해서는 앞서 언급한 것처럼 자신만의 독창적인 글쓰기를 토대로 에세이를 써야만 한다. 이러한 과정을 통해 글쓰기를 잘하는 사람들이 성공도 쉽게 한다. 여기서 성공은 재산과 지위와 명예의 의미를 포함한 바로 자신의 성장과 변화이다.[42]

지금까지 하버드대생들의 독서법에 대해서 살펴보았다. 어떤 키워드가 떠오르는가. 핵심 키워드는 '실천'이다. 하토야마 레히토는 "'알고 있다'를 '할 수 있다'로 바꿔야 한다. 성과를 올리는 지름길은 당사자가 되어 행동하는 것이다."라고 말한다.[43] 지금까지 지식의 축적을 위한 'INPUT'의 독서를 해온 건 아닌가. 그렇다면 이제 독서법을 바꿔보자. 독서의 목적도 바꿔보자. 문제 해결을 위한, 실천을 강조한 'OUTPUT'의 독서로!

'지금 내 상황에 적용하면
책 내용을 어떻게 받아들일 수 있을까?'

'내 과제를 해결할 때
이 책이 어떤 도움이 될까?'

- 하토야마 레히토[44]

지정의 학습은 실천으로 이끌어가는 '읽기'를 강조한다. 실천이 없는 '읽기'와 '알기'는 의미 없다고까지 말한다.

제 6 절 글쓰기의 모든 것[J]

많은 사람이 글을 읽는 것은 문제가 없지만 글쓰기는 힘들다고 말한다. 그래서 독서는 많이 하지만 글에 대해 기록하기를 하지 않거나 두려워한다. 글을 쓰려는 마음으로 책을 읽거나 글쓰기 모임에 참석해 구체적인 방법을 배우고 그 방법대로 써보기도 한다. 그러나 여전히 글쓰기가 어렵다고 느낀다. 어떻게 하면 글을 잘 쓸 수 있을까. 이 질문에 관해 이야기 나눠보고자 한다.

글쓰기 코치인 송숙희는 "'읽기는 문제가 없지만 글쓰기가 힘들다.'라는 말은 틀린 말이다. 정말 제대로 잘 읽을 줄 안다면 쓰기가 그렇게 힘들지 않다."라고 말한다. 그는 "읽기와 쓰기는 별개가 아닌 하나의 행위"라며 "쓰기는 읽기로 시작되고 읽기로 진행되며 읽기로 마무리된다."라고 강조한다. 그리고 글을 잘 쓰기를 바라는 사람들에게 "잘 쓰기 위해서는 잘 읽고 많이 읽어야 한다."라고 조언한다.[45)]

「크라센의 읽기혁명The Power of Reading」의 저자 스티븐 크라센Stephen D. Krashen도 잘 쓰는 유일한 비결을 '읽기'라고 단언한다. 그는 읽기의 방법으로 스스로 선택한 책을 자발적으로 읽는 자율독서를 하라고 권한다. 그는 읽기와 관련된 연구를 진행하였다. 그 연구 결과에 따르면, 평소 잘 읽고 잘 쓰지 못하는 아이나 성인이 책을 즐겁게 읽기 시작하면서 이해력이 향상되었고 복잡한 글도

J 돈이 되는 글쓰기의 모든 것 https://youtu.be/1hFDCPQJjNg

잘 이해하게 되었다. 또한, 문체와 어휘력이 좋아졌으며 철자 쓰기와 문법 실력도 향상되었다고 한다. 크라센은 이 연구를 비롯한 여러 연구의 결과들을 토대로 다음과 같은 결론을 내렸다. 잘 읽는 능력은 훌륭한 문장력, 풍부한 어휘력, 고급 문법 능력, 정확한 철자 쓰기 능력을 갖추는 유일한 방법이라고 말이다.[46]

잘 쓰려면 잘 읽어야 한다. 그렇다면 어떻게 읽어야 잘 읽는 것일까. 어떻게 읽기 능력을 개발할 수 있을까.

수필가이자 교수인 최시한은 글을 잘 읽기 위해 독자가 지녀야 할 태도와 실천해야 할 행동을 다음의 6가지로 제시한다. 첫째, 언제 어디서나 끊임없이 읽는 습관을 들여 많이 읽어야 한다. 둘째, 자기 나름의 주관을 가지고 주체적으로 읽어야 한다. 셋째, '주체적으로' 읽되 자기 우선이 아닌 글 자체에 충실하게 읽어야 한다. 넷째, 새로운 사실과 가치를 찾으려는 자세로 읽어야 한다. 다섯째, 글의 형식을 챙겨 보아야 하고, 그에 걸맞게 읽어야 한다. 여섯째, 선명한 이해에 도달할 때까지 거듭 읽어야 한다.[47]

최시한의 읽기 방법을 그대로 따라 하면 정말 잘 읽는 훈련이 될 것 같다. 그러나 필자(김미영)는 앞서 언급한 송숙희의 의견에 동의하며 읽기는 쓰기와 병행되어야 함을 말하고자 한다. 이에 송숙희가 글을 잘 쓰기 위한 방법으로 제시한 '1.3.7 법칙'을 소개하겠다. 이것은 책을 하나 읽을 때마다 7일 안에 말하기·쓰기·행하기의 과정을 통해 책의 내용을 내 것으로 만드는 방법이다. 여기서 7일은 기억이 유실되지 않고 보조되는 유효기간을 의미한다. '1.3.7 법칙'은 읽은 것을 말하고 쓰고 행하여 지식과 정보를 잘 기억하고, 필요할 때 빨리 떠오르게 하여 써먹기 좋게 해준다. 그녀는 '1.3.7 법칙'을 한번에 적용하는 좋은 방법으로 책을 읽고 리뷰를 쓰면서 북로거가 되기를 추천한다. 그러면서 "책 리뷰는 읽기 능력을 기르고 글쓰기 연습도 되는 알토란같은 방법"이라 말한다.[48)]

'인생의 차이를 만드는 독서법'이라는 부제를 가진 책 「본깨적」의 저자 박상배는 책을 읽고 적극적으로 삶을 변화시키고 싶다면 책 읽는 방법을 바꾸어야 한다고 말한다. 그러면서 '본깨적 책 읽기'를 제안한다. 본깨적 책 읽기는 독서 경영 시스템을 도입한 이랜드의 '본깨적 노트'를 책 읽기로 발전한 것으로 "책에서 본 것이 무엇인지, 책을 보면서 무엇을 깨달았는지 정리하고, 일상생활이나 업무에 적용할 만한 것이 있는지 고민해 보는 것"이 핵심이다. 본깨적 책 읽기는 저자의 관점으로 책을 제대로 보는 것에서부터 시작한다. 저자가 책을 통해 말하고자 하는 의도가 무엇인지 파악하며 비판적으로 읽는 것이다. 그리고 '나'의 관점에서 책을 통해 깨닫고, 깨달은 것은 구체적으로 자신의 삶에 적용하는 독서법이다. 이러한 독서법을 제안한 박상배는 여기서 한발 더 나아가 책 읽기의 효과를 높이기 위해 다른 사람들과 함께 생각을 공유하고 나누기를 권한다. 또한, 북 바인더에 본깨적 노트와 아이디어 노트, 좋은 글 등을 적어보고 이것을 자신만의 지식 자서전으로 만들어보라 한다. 그는 책 읽을 시간이 없다고 말하는 사람들에게 북바인더를 쓰다 보면 비는 시간과 낭비하는 시간이 보인다며 그 시간이 바로 책을 읽을 블루 타임이라 거듭 강조한다.[49)]

지금까지 글을 잘 쓸 방법에 관해 이야기해 보았다. 글을 잘 쓰는 비결은 '읽기'다. 잘 읽고 많이 읽어야 한다. 책 읽기를 시도하려고 하지만 '시간이 없다.'라는 사람들을 향해 독서전문가들은 시간이 없는 것이 아니라고 말한다. 우선은 잘 읽고, 읽은 것을 '1.3.7 법칙' 또는 '본깨적 노트'를 활용하여 글쓰기를 한다. 그러면 글쓰기 한 것을 통해 또 잘 읽게 된다. 이렇게 읽기와 쓰기는 별개가 아닌 하나이고 읽는 데서 그치는 것이 아니라 삶이 변화되는 살아있는 독서가 되는 것이다.

많은 책을 읽었지만 글쓰기는 여전히 어려운가. 그렇다면 읽기를 쓰기와 함께 진행해보라. 글쓰기는 많이 읽었다고 잘 쓰는 것이 아니다. 송숙희는 "글쓰기는 공부가 아니라 훈련이다."라고 말한다.[50] 그만큼 글쓰기는 연습이 중요하다.

지정의 학습은 책이나 온라인 글을 읽으면서 읽기와 쓰기를 병행하는 글쓰기 학습법이다. 이 학습에서는 정해진 분량만큼 읽고 그 부분에 대한 지정의 쓰기를 한다. 읽으면서 새롭게 알게 된 것(지)과 그것을 통해 느낀 감정(정)을 적게 한다. 그리고 작은 실천을 다짐하며 글로 쓰도록 한다(의). 이처럼 지정의 학습은 읽기와 쓰기를 하나로 함께 진행한다. 읽는 데서 그치는 것이 아니라 작은 실천으로 삶의 변화를 경험하도록 한다. 이런 과정을 통해 지정의 학습은 살아있는 읽기와 쓰기 된다.

운동을 꾸준히 잘해보려고 노력해 본 적이 있는가. 마음은 크지만, 실천이 어렵다. 글쓰기도 마찬가지다. 꾸준히 잘 연습해 보려 하지만 실천이 어렵다. 앞서 말했던 '작은 습관'이 기억나는가. 맞다. 여기서도 통한다. 송숙희는 글을 꾸준히 잘 쓰도록 근육을 강화하는 매일 습관 7가지를 제시한다. 그중 몇 가지만 소개하면, 생각 근육을 기르는 매일 저널 쓰기, 매일 1페이지씩 에세이 쓰기, 쓴 글을 타인에게 피드백 받기, 글쓰기 스터디 모임으로 오래 함께하기 등이다.[51)]

'작심삼일'로 끝났던 읽기와 쓰기의 다짐들이 매일 읽고 쓰는 근육을 강화하여 '성장하는 독서', '살아있는 독서'가 되기를 바란다. 오늘부터 1일이 되어보자. 홈트레이닝이 아닌 홈리딩&라이딩을 향해! 우리는 이 책을 읽고 있는 당신이 지정의 학습으로 글쓰기를 시작하기를 바란다.

마지막으로 송숙희가 당부하는 말을 그대로 전해보고자 한다. '글쓰기의 모든 것은 읽기에서 시작한다'라는 것을 기억하며 이 말을 새겨보자.

"글 쓸 시간은 읽을 시간에서 나온다.
읽을 시간이 없으면 글 쓸 시간이 없고,
글 쓸 시간이 없으면 생각할 시간이 없고,
생각할 시간이 없으면
성공할 시간도 없습니다."[52)]

성공하고 싶은가. 지정의 학습을 당장 시작해보자.

CHAPTER

03

지정의 학습에 다- 있다

독자 여러분은 아래 나오는 내용이 무슨 말인지 전혀 모를 수도 있다. 그래도 절대 포기하지 마시기를 바란다. 그 다음에 어떤 내용인지 자세히 소개를 할 예정이기 때문이다. 일단 무슨 말인지 이해가 되지 않겠지만 글을 계속 읽으시길 권한다.

'지정의知情意 학습에서 지知.intellect는 글을 쓴 사람, 영상을 만든 사람의 의도를 파악하면서 새롭게 알게 된 것을 쓰는 것입니다. 그렇기에 단순 요약 차원을 넘어서 저자 의도 파악이라는 중대한 미션이 있습니다. 요약의 수준을 넘어서는 것이지요.

지정의 학습은 또한 시험을 보기 위한 읽기를 합니다. 지금 매일 올리는 지정의 쓰기와 의의실천이 시험입니다. 지정의를 제대로 썼는지 그리고 그 내용을 제대로 실천했는지를 보는 것은 높은 수준의 시험입니다. 4차 산업혁명 시대의 시험입니다.

다른 사람이 쓴 지정의, 또는 다른 사람이 녹음한 지정의, 또는 다른 사람이 녹화한 지정의를 듣고 보는 것은 잠시 그들에게서 배우는 시간을 갖는 것입니다. 그렇기에 녹음과 녹화가 내가 쓴 지정의를 읽는 수준이 아니라 설명을 하는 수준이 되어야겠지요. 설명이 곧 가르치는 것입니다. 제가 거듭 강조하는 것, 앵커나 선생님이 되었다는 생각으로 녹음, 녹화를 해보시라고 한 것이 그것입니다.

매일매일 높은 수준의 요약, 높은 수준의 시험, 높은 수준의 가르치는 기회가 여러분에게 주어졌습니다. 다른 새로운 실천을 도입하지 마시고 지정의에 충실한 실천을 해보시길 권유 드립니다.

지정의 학습법을 개발한 필자 박병기가 참가자들에게 쓴 글이다. 이 글 내용을 이제 하나씩 풀어서 설명하겠다.

제 1 절 지정의[K] 학습 어떻게 진행되나?

지정의知情意 학습 안으로 들어오면 다음과 같은 매일의 미션이 있다. 참고로 아래 내용은 지정의 학습의 루키Rookie들이 하는 것임을 미리 밝혀둔다. 지정의 학습은 루키, 싱글A, 더블A, 트리플A, 빅리그로 수준이 높아지도록 디자인되어 있는데 아래 내용은 루키 레벨에 대한 소개이다.

1. 지정의(Sowing the seed. 자성지겸[L]): 올려진 영상이나 글을 보고/읽고 지정의로 정리해보세요. 지정의 쓴 내용을 구글 번역에 돌려서 '영어와 한국어 모두'를 올려주세요.
https://translate.google.co.kr

2. 철자 검사(3차원 글쓰기. 성지겸예[M]): 작성 후 온라인 철자법에서 검사한 후 글을 올려주세요. https://speller.cs.pusan.ac.kr
구글에서 영어 번역을 하신 후 Grammarly 앱으로 문법 점검을 하고 올려주세요. https://app.grammarly.com

3. 영상 및 오디오(Rethinking. 성지겸협[N]): 자신이 쓴 내용을 읽으면서 영상 녹화를 해서 올리세요. 영상이 올라가야 과제 완수입니

K 지정의 (知情意): 지성(知性)·감정(感情)·의지(意志). 인간의 세 가지 심적 요소.

L 자발성, 성실함, 지속성, 겸손함

M 성실함, 지속성, 예의

N 성실함, 지속성, 겸손함, 협동심

다. 그 밖의 분들은 오디오로 자신의 지정의를 올려주세요. 오디오 녹음을 하실 때는 자신이 편한 언어를 선택하시면 됩니다.

4. 댓글(깊고 넓게 보기. 상황맥락지능. 겸예협O): 다른 사람의 지정의를 읽거나 듣거나 보고 댓글을 하나 달아주세요.

5. To-do에 과제 완료 표시를 해주세요.

6. 다시 쓰기(3차원 공부. 저자되기): '글쓰기는 없고 다시 쓰기만 있다'는 말이 있습니다. FT나 교수자는 다시 쓰기를 요구할 수도 있습니다. 감정적으로 받아들이지 마시고 다시 쓰기를 통해 깊은 성찰을 해보세요. "Redo"는 피드백을 받은 날 오후 11시 59분까지 마칠 기회가 있습니다.

'매일 해야 할 미션이 뭐가 이렇게 많아?' '도대체 이게 무슨 말이야?' 하는 마음이 드는가. 그런데 이것은 가장 기초 수준인 루키 레벨임을 잊지 말아 달라. 빅리그로 올라가면 해야 할 일이 엄청나다.

지정의 학습이 추구하는 가치는 숨어있는 보물과도 같은 미션이다. 보물의 상자를 열어본다는 설렘과 기대감으로 이 학습에 다가와 주길 바란다. 이제 앞서 언급한 지정의 학습의 내용을 하나씩 상세히 예제를 들어 소개해보고자 한다.

미리 알아둘 것은 지정의 학습의 교수자FT는 네이버나 구글 뉴스에 올라간 메인 화면 기사 중 가장 잘 작성됐다고 판단되는 글 또는 새 시대를 준비하는 사람으로서 꼭 알아야 한다고 판단되는

O 겸손함, 예의, 협동심

기사를 매일 하나씩 선택한다. 그리고 그 기사를 매일매일 밴드에 올린다. 기사들은 지정의 학습 과제로 제시된다.

2020년 8월 5일의 과제를 예로 들어보겠다. 이날 제시된 과제는 한겨레21의 신문 기사[P]였다. 이 내용이 첨부된 매일의 과제가 네이버 밴드에 올라간다. 과제는 매일 새벽 3시에 학습자들이 볼 수 있도록 오픈된다. 학습자들은 각자의 시간에 맞춰 그날 과제를 진행한다. 학습자들이 밴드에 게시된 과제를 하는 과정은 다음과 같다.

첫째, 지정의 쓰기. 학습자들은 업로드된 글이나 영상을 클릭하여 읽고 본다. 다시 말하지만 이날 기사는 한겨레21의 신문 기사(오른쪽 QR코드)였다. 학습자는 과제를 읽으며 새롭게 알게 된 것과 그것을 통해 느끼는 감정을 메모나 포스트잇을 활용해 적으면서 읽는다. 주어진 과제가 책일 경우는 새롭게 알게 된 내용에 밑줄을 긋고 책에 직접 메모를 하기도 한다. 집중해서 글 읽기를 마치면 한글 파일에 '지', '정', '의'로 글을 쓴다. 지정의는 1장에 소개했지만, 다시 소개하면 다음과 같다.

지知(통찰, 분별, 성찰 등): 학습자로 하여금 정해진 분량의 독서를 하거나 영상을 보면서 새롭게 알게 된 것, 배우게 된 것을 나눈다. 전에는 알지 못했거나 희미했지만 인지하게 된 내용, 뚜렷하게 인식하게 된 내용을 적는다. 분별력이 강화된 부분, 이해와 성찰이 있었던 부분을 적는다. 그리고 작성한 것을 각자의 교육 플랫폼(구글 클래스룸, 밴드, 카카오톡 등)에서 나눈다. 지知는 인공지능이 범접하기 힘든 영혼에서 나오는 통찰, 분별, 성찰의 지능과 연관이 있다.

정情(감정, 사랑, 희로애락 등): 어떤 글을 읽거나 영상을 볼 때 인간만이 갖게 되는 지知를 통해 경험되는 인간만의 감정을 쓰는 것이다. 감정의 표현만 쓰는 게 아니라 실제로 일게 된 진정성 있는 감정을 쓰는 것이다. 만약 그런 감정이 일지 않는다면 읽고 보는 것의 참 의미는 떨어진다는 가정하에 감정을 '잘' 쓰는 게 중요하다.

의意(뜻, 의지, 결정, 선택, 비전 등): 책을 읽으면서(또는 영상을 보면서) 지와 정을 경험하게 된 것을 어떻게 의지적으로 적용할 것인지를 적는다. 왜 그런 결정을 내렸고, 그런 선택을 하기로 했는지를 지와 정을 바탕으로 쓴다. 또한, 꿈, 노력, 성실함, 실천, 행함의 결심 등을 지와 정을 기초로 작성한다. 의는 실천적이고 확인 가능한 그 무엇이 된다.

'지知'는 위의 언급된 대로 새롭게 알게 된 것이나 다시 재인식하게 된 것, 이전에 알고는 있었지만, 더 분명하게 알게 된 내용을 적는 것이다. AI가 흉내 낼 수 없는, 인간만의 깨달음, 분별, 성찰 내용을 적는다. '정情'은 지를 통해 느끼는 감정을 적는 것이다. '흥미롭다', '감사하다', '기쁘다', '설렌다' 등의 감정 단어를 사용하여 글을 통해 느낀 것을 적는다. 감정표현은 '진정성'이 중요하다. '의意'는 작은 실천이 핵심이다. 글을 통해 분별하고 통찰하게 된 내용, 가슴으로 느낀 것을 삶에서 어떻게 적용하며 실천할 것인지를 적는 것이다. 이때 작은 실천은 구체적이어야 하며 검증 가능한 것이어야 한다.

둘째, 철자 검사하기. 글에 대한 지정의 쓰기가 마무리되면 '끝!'이 아니다. 보통의 글쓰기는 이렇게 글을 쓰면 끝이다. 그러나 지정의 학습은 학습자가 학습만 하는 것이 아니라 편집자의 역할도 할 수 있도록 이끈다. 그 첫걸음으로 "꼭!" 철자 검사를 한다. 철자 검사는 ㈜나라인포테크에서 개발하여 무료로 사용할 수 있도록 제공된 '한국어 맞춤법/문법 검사기'를 활용한다. 자신이 쓴 글을 복사하여 https://speller.cs.pusan.ac.kr에 들어가 맞춤법/문법 검사를 진행한다.

셋째, 한글 지정의를 영어로 완성하기. 철자 검사까지 마치고 '자, 그럼 이제 끝인가요?'라고 묻는다면 대답은 '아니다' 이다. 지정의 학습은 글로벌 인재 양성을 위한 미래 교육 학습법이다. 참가자는 한국어로 쓴 지정의를 영어로 번역한다. 최근에는 다양한 번역 앱이 많이 개발되어 배포되고 있다. 참 좋은 세상이다. 그러나 많은 사람이 영어에 대한 두려움으로 그 번역 앱조차 잘 활용하지 못하며 여전히 '영어는 어렵다'라며 멀리한다. 지정의 학습의 개발자인 필자(박병기)는 한국의 영어 교육이 의사소통이 아닌 단지 시험을 전제로 한 도구에 불과하다는 것에 너무나도 큰 충격을 받았다. 필자(박병기)는 말은 소통이고 소통을 하겠다는 자세가 없으면 그 언어는 죽은 언어라 생각한다. 이에 영어에 대해 두려워하고 부끄러워하는 학습자들을 향해 "AI가 있는데 무엇이 두렵고 어렵습니까?"라고 호소한다. 그러면서 한국어로 잘 쓴 글은 구글 번역기가 영어 표현도 잘 쓴 글로 번역해 준다며 영어로 지정의 학습을 번역하여 올리기를 권한다.

혹시 영어 울렁증이 있는가. 한글 쓰기도 어려운데 영어도 써야 한다는 것에 부담이 느껴지는가. 너무 걱정하지 않아도 된다. 지정의 학습은 첫날부터 한국어 지정의 쓰기와 영어번역을 동시에 진행하지 않는다. 적응 기간에는 한국어 지정의 글만 올린다. 차츰 학습자들이 지정의 학습에 적응해 가면 그때 자신이 쓴 한글 지정의 글과 영어 번역을 함께 올리도록 제시한다. 미국에서 26년간을 살다 온 필자(박병기)는 처음부터 한국어와 영어로 하는 지정의 학습을 계획하였다. 그러나 유독 영어 울렁증이 심한 한국 학습자들을 배려해야 했다. 이에 진행 상황을 보면서 단계적으로 제시한다.

설명이 길었다. 자, 어떻게 한국어로 쓴 지정의를 영어로 번역한단 말인가. 걱정하지 마시라. 앞서 말한 대로 구글 번역기가 도와줄 것이다. 철자 검사 때와 같은 방식으로 구글 번역기에 철자 검사를 마친 글을 복사하여 붙이기만 하면 된다. 글을 복사하여 붙여넣기만 하면, '우와! 대박!'이라는 말이 나올 정도로 단 몇 초 만에 영어로 번역이 된다. 혹자는 질문할지도 모른다. 그냥 복붙[Q]하기 한번 더 거치는 것뿐인데 이게 무슨 영어에 도움이 되냐고. 이건 정말 직접 해보시라 말해주고 싶다. 단지 클릭 한번으로 번역을 마치고 복붙해서 글을 완성하는 단순한 과정인 것 같지만 이런 과정의 반복을 통해 영어에 대한 두려움이 사라진다. 어느샌가 자기도 모르게 영어로 된 문장을 읽고 있는 신기한 일이 생긴다. 여기서 한발 더 나아가 영어도 Grammarly란 프로그램을 활용하여 문법 검사를 한다. 지정의 학습에서 한국어와 영어는 소통을 위한 언어이기에 독자를 위한 철자 검사 및 문법 검사는 기본적인 예의로 생각한다. 이 부분은 다음 절인 '지정의 학습과 자성지겸예협'에서 한번 더 설명할 것이다.

'뭐가 이리 복잡해. 그냥 글만 쓰면 되지 무슨 영어 번역에 영어 문법 검사까지 해!'라는 생각이 들지도 모른다. 그러나 지정의 학습은 단순한 글쓰기 학습이 아닌 제4차 산업혁명 시대를 살아갈 서퍼Surfer 양성을 위한 미래 교육의 툴이기에 AI를 최대한 활용한다. 아직 우리가 활용하는 AI에 대한 설명은 많이 남아있다. 우리는 최근 출시된 GPT-3를 활용해 다양한 것들을 지정의 학습에 담아내려고 준비 중이다.

넷째, 영상/오디오 녹음하기이다. 번역 앱을 활용해 영어 지정의 쓰기를 성공적으로 마치면 이제 쓰기의 과정은 완성한 것이다. 2장

Q 복사하기, 붙여넣기를 줄인 말.

의 내용을 떠올려보자. 그 중 '성장하는 독서'에서 소개한 4가지 읽기의 종류가 있었다. 기억이 나는가. 기억나지 않아도 괜찮다. 중요한 건 지정의 학습이니까. 4가지 읽기 중 제일 마지막이 '가르치며 읽기'였다. 지정의 학습은 읽기의 과정 중 가장 높은 수준의 단계인 '가르치며 읽기'를 포함하고 있다. 바로 '영상/오디오 녹음'이다.

학습자들은 한국어와 영어로 지정의 쓰기를 마치면 두 언어 중 하나의 언어를 사용하여(또는 두 언어 모두) 영상 촬영과 오디오 녹음을 한다. 청소년 학습자에겐 영상 촬영을, 성인 학습자에겐 오디오 녹음을 권한다. 이 과정은 그냥 자신이 쓴 지정의를 읽기만 하는 것이 아니다. 다른 사람에게 가르치듯 마치 자신이 교사나 아나운서가 된 것처럼 녹음하는 것이다. 이 과정은 학습자가 자신의 글을 스스로 점검해보는 시간이 되고, 나아가 자기 생각과 감정과 의지를 견고히 하며 메타인지[R]가 높아지는 시간이기도 하다. 또한, 자신이 한 학습이 누군가에게 도움이 되고 나와 타인이 함께 성장할 수 있다는 공동체 의식도 높여준다.

R 메타인지는 "인식에 대한 인식", "생각에 대한 생각", "다른 사람의 의식에 대해 의식", 그리고 고차원의 생각하는 기술(higher-order thinking skills)이다(위키백과, 2020). 정통파 인지 심리학자인 아주대 김경일 교수는 메타인지를 "내 기억을 보는 눈, 아는 것과 모르는 것을 구분하는 힘, 자기 능력을 보는 능력"이라 말한다. 그는 내가 알고 있다는 느낌이 있지만 남들한테 설명을 못하는 것은 자신이 메타인지에 속고 있는 것이라 말하면서 아는 것을 말로 설명할 때 메타인지가 키워진다고 말한다(어쩌다 어른. 2016. 소년이여 야망을 품어라! 창의력 대장의 비결. 네이버TV. http://tvcast.naver.com/v/1009485

다섯째, 지정의 학습 쓴 것 올리기 & 다른 사람의 지정의 글에 댓글 달기. 영상/오디오 녹음까지 마치면 학습자들은 댓글로 과제를 마무리하게 된다. 네이버 밴드에 게시된 그 날 과제에 댓글 쓰기로 자신의 글(영어와 한국어 모두)과 영상/오디오 녹음을 올린다. 일반적인 학습은 이렇게 자신의 과제물을 올리고 나면 정말 끝! 이다. 그러나 지정의 학습은 그렇지 않다. 혹시 4차 산업혁명 시대의 미래 인재에게 필요한 역량이 무엇인지 아는가. 세계경제포럼의 클라우스 슈밥은 앞서 소개한 4가지 지능 외에도 4차 산업혁명 시대의 인재에겐 '협력'이 중요하다고 강조했다. 21세기 미래 핵심 역량으로 4C[S]를 들어본 적이 있는가. 이 역시 협력을 강조한다. 지정의 학습은 앞도 옆도 보이지 않는 칸막이식 독서실에서 혼자만의 공부에 힘쓰는 과거의 공부법이 아니다. 지정의 학습은 4차 산업혁명 시대의 미래 인재를 양성하기 위한 기초 교육으로 고안된 학습법이자 독서법이고 미래 인재 양성법이다. 그러기에 '함께 공부하고, 함께 성장하는 것'에 중점을 둔다. 학습자들은 자신이 쓴 지정의를 올리는 것에서 끝나는 것이 아니라 다른 학습자가 쓴 글을 읽고 피드백을 겸한 댓글을 달아준다. 이 과정이 바로 함께 성장하고 협력하는 미래 인재의 역량을 향상시켜준다.

S 세계경제포럼(2016)이 '일자리의 미래' 보고서를 통해 4차 산업혁명 시대를 위한 미래인재가 갖추어야 할 10가지 역량을 발표하였다. 그 중 4가지 역량을 교육과정에서 학습자들이 갖추어야 할 역량으로 보았는데 이것을 4C라고 한다. 4C는 비판적 사고Critical Thinking, 의사소통 Communication, 협력 Collaboration, 창의성 Creativity이다. 우리나라는 정부 정책으로 교육과정에 4C가 포함되어 있다.

여섯째, To-do에 과제 완료 표시하기. 다른 학습자의 글을 읽고 댓글 쓰기까지 마쳤다면 이제 마지막 한 과정만 남았다. 바로 '과제 완료' 체크하기. 필자(박병기)는 '몰랐어요.'라는 변명식의 무책임함을 바르게 교육하고 싶었다. 사실 많은 한국 리더의 보편 특징 중의 하나가 '몰랐어요'라며 책임을 전가하는 것 아닌가. 그리고 이 '몰랐어요'가 받아들여지는 분위기이지 않은가. 필자(박병기)는 이러한 안일하고 무책임한 태도로는 AI가 점점 더 똑똑해지는 미래 사회에서는 더 살아남기 어렵다고 보았다. 그래서 학습자들에게 자신이 한 과제에 대해 정직하게 모든 과정을 잘 마쳤다는 의미로 '과제 완료' 표시를 하도록 이끌어준다.

필자(김미영)는 처음에 왜 이런 과정을 꼭 해야 할까 하는 반문이 들었다. 과제를 올렸으면 그만이지 왜 이런 과정이 필요하냐고 말이다. 그러나 온라인 개학이 전 세계적으로 시행된 코로나19 상황의 학교 현실을 보면 그동안의 '몰랐어요'라고 일관된 우리의 안일함이 얼마나 큰 과오였는지 깨닫게 된다. 필자(김미영)에겐 중2 딸이 있다. 학기 중 딸의 담임교사와 학생들의 단체 톡에서 이런 현상을 자주 발견할 수 있었다. 상당수의 아이가 온라인으로 제시되는 과제를 제대로 확인하지 않았고, 과제를 제때 제출하지 못했다. 그리고 미제출 과제에 대해 '몰랐어요'를 반복했다. 이런 방식이 교실 수업에서는 어느 정도 가능했을지도 모른다. 그러나 미래의 온라인 수업에서는 과제의 제출/미제출을 AI가 기록한다. 미래의 교사들은 이 AI의 기록을 보고 판단하기에 자기 과제에 대한 기초적인 확인 훈련이 되지 않으면 앞으로의 온라인 수업은 어려움을 겪을 수밖에 없다.

과제 완료 표시는 '네이버 밴드'의 'To-do' 기능을 활용한다. 이 기능을 활용하면 학습자들이 지정의 쓰기(한국어, 영어), 철자 검사, 동영상 또는 오디오 녹화/녹음, 다른 사람의 지정의에 댓글 쓰기를 스스로 잘 마쳤음을 인지하게 된다. 또한, To-do의 항목추가를 통해 '000(이름), 4가지 미션을 수행하였습니다.'라고 직접 써 올리며 하루 과제 완성의 책임을 갖게 된다.

드디어 하루 과제의 지정의가 완성되었다. 아래의 글은 필자(김미영)가 8월 5일에 올라온 과제(한겨레21 기사. 오른쪽 QR코드로 확인 가능)를 위의 과정을 거쳐 완성한 지정의다. 아래의 글을 보면 문단과 문단 사이가 나누어져 있다. 이는 온라인상에서의 가독성을 높이기 위한 디지털 글쓰기를 했기 때문이다. 지정의 학습은 온라인에 글을 올리는 것이기에 디지털 글쓰기도 훈련한다. 종이에 쓰는 글은 지면을 아끼기 위해 공간을 많이 주지 않지만, 디지털에서는 공간의 제약이 없으므로 가독성을 높이기 위한 공간을 많이 주는 문단 나누기를 하고 있다.

지

위키백과에 따르면, SNS는 사용자 간의 자유로운 의사소통과 정보 공유, 그리고 인맥 확대 등을 통해 사회적 관계를 생성하고 강화해

주는 온라인 플랫폼이다. 온라인으로 전 세계가 연결되면서 소통의 플랫폼이 현실 세계에서 증강 세계로 확장된 것이다.

본 기사는 SNS 중 하나인 인스타그램 사용자 일부를 소개하며 이들은 글을 올리는 행위나 목적은 다르지만 모두 인스타그램에 모여 산다고 표현한다.

'산다'는 것은 무엇을 의미하는가. 혼자 사는 것이 아니라 더불어 같이 사는 것이다. 공동체가 신뢰를 바탕으로 서로의 행복과 안녕을 지켜주며 살아가는 것이다. 그러나 기자가 소개한 아보씨와 카도씨는 타인의 관심을 받기 위해 자신의 진짜 모습이 아닌 보이는 모습만 잘 꾸며 사진을 찍어 글을 올린다. 이들은 '좋아요'를 받기 위해 어떤 사진을 찍어야 하는지 알 정도로 관심을 받기 위한 방법도 익히 알고 있다.

사람과 사람 간의 소통이란 무엇인가. 사람과 사람이 함께 산다는 것은 무엇인가. 서로 간의 신뢰가 우선되어야 하지 않을까. 이것은 현실 세계든 증강 세계든 동일하다고 생각한다.

그런데 왜 사용자들은 자신의 진실한 모습이 아닌 남들에게 '좋아요'를 받기 위한 모습이나 사진을 찍어 올리며 '관심'을 받으려 할까. 아마도 낮은 자존감으로 인해 채워지지 않는 공허함을 팔로워와 '좋아요' 수로 대리 만족하고 있는 것은 아닐까 싶다.

본 기사를 읽어가며 우리에게 채워지지 않는 낮은 자존감을 회복하는 방법은 무엇일지에 대해 생각해 본다. 역시 정답은 '미래 저널'과 '지정의 학습'이다. 사용자들이 지정의가 구겨진 채로 관심을 받기 위해 온라인 여기저기를 표류하고 있다는 생각이 든다. BPSS 철학을 바탕으로 '미래 저널'쓰기와 '지정의 학습'으로 조금씩 구겨진 지정의가 회복되는 우리 공동체 한 명 한 명이 SNS에서의 건강하고 아름다운 생태계를 만드는 모델링이 되었으면 좋겠다.

정

SNS를 하면서 울고 웃는 내 주변의 사람들이 떠올라 안타까운 마음이 들었다. 어떤 사람은 친구가 해외에서 찍어 올린 사진에 해외여행 한번 못 가본 자신을 한탄하며 우울함을 느낀다. 또 어떤 사람은 육아로 바쁜 시간, 멋진 뷰가 보이는 카페에서 올린 지인의 사진 한 장으로 '지금 나는 무엇을 하고 있나?'하며 좌절감을 느낀다.

나는 그들이 상황 맥락지능이 높아지기만을 바랬다. 그래서 그들에게 저들도 크게 맘먹고 일탈을 한 것일지도 모른다고, 그 숨겨진 이유는 잘 모르는 것이니 사진 한 장으로 너무 우울해하지 말라고 위로해주었다.

그런데 이번 지정의를 하며 말로만 그쳤던 나 자신이 반성이 되었다. 잠시 위로를 해주긴 했지만, 근본적인 해결책을 향해 더 적극적으로 다가가지 못했던 내가 속상했고, 그들에게 미안한 마음이 들었다.

의

역시 정답은 BPSS철학을 그들에게 전해주는 것이다. 자신의 삶이 지금보다 더 나아지기를 바라며 하루하루 아등바등하는 데 별로 노력도 안 해 보이는 누군가의 사진 한 장에 우울해하는 이들에게 용기 내 도움의 손길을 뻗어야겠다.

작은 실천으로 ##맘과 **맘에게 '노답'이 책을 선물해줄 것을 다짐해본다. 만나서 전해주려 했지만, 시간이 서로 안 맞기도 해서 차일피일 미룬 경우가 있어 이번에는 인터넷 주문으로 택배 배송을 통해 전달해야겠다.

Intellect

According to Wikipedia, SNS is an online platform that creates and reinforces social relationships through free communication and information sharing among users, and the expansion of personal connections. As the world is connected online, the platform of communication has expanded from the real world to the augmented world.

This article introduces some of the Instagram users, one of the social media outlets, and expresses that they all live together on Instagram, although the behavior and purpose of posting are different.

What does it mean to 'live'? It is not living alone, but living together. The community lives by protecting each other's happiness and well-being based on trust. However, Mr. Abo and Mr. Kado, introduced by the reporter, take pictures and post in order to get the attention of others, decorating only what they see, not their real ones. They know how to get attention enough to know what kind of photos they need to take to get 'Like'.

What is communication between people and people? What is it that people and people live together? Shouldn't mutual trust come first? I think this is the same as the real world or the augmented world.

But why do users try to get 'interest' by taking pictures or pictures to receive 'likes' from others rather than their true selves? Perhaps he is satisfied with the emptiness that cannot be filled due to low self-esteem with the number of followers and likes.

As you read this article, think about how to restore the low self-esteem that is not filling us. Again, the correct answers are 'future journal' and 'IEV study'. I think users are drifting around online to get attention with their designated intentions crumpled. Based on the BPSS philosophy, I hope that each and every one of our community, who gradually recovers the crumpled designation by writing 'future journals' and 'IEV study', can be a model for creating a healthy and beautiful ecosystem on SNS.

Emotion

I felt sorry for the people around me who cried and laughed while doing social media. Some people feel depressed by lamenting themselves for having never been able to travel abroad at the photos a friend has taken abroad. Another person feels frustrated by asking, What am I doing now?' with a photo of an acquaintance uploaded at a cafe where you can see a wonderful view during busy parenting hours.

I only wanted them to increase contextual intelligence. So I told them that they might have made a big decision and deviated, and the hidden reason is that they don't know well, so I comforted them not to get too depressed with a photo.

However, my self, who had stopped speaking only with words, became a reflection. Although comforting for a while, I was upset for not being able to actively approach the fundamental solution, and I felt sorry for them.

Volition

Again, the correct answer is to convey the BPSS philosophy to them. I have the courage to reach out to those who are depressed by a picture of someone who seems to be struggling day by day, hoping that their life will be better than they are now.

I pledged to present 'no answer' to ## mam and ** mam through small practice. I tried to meet and deliver it, but there are times when the time does not match, so I have to postpone it, so this time I will have to deliver it through courier delivery via Internet order.

지정의 학습이 어떻게 이루어지는지 각 과정을 소개했다. 일반 학습의 경우 이렇게 과제를 제출하면 교수자가 각 과제에 대해 평가를 한다. 그리고 A, B, C... 등 부여된 점수를 받고 나면 그 과제와 과정은 끝이 난다. 그러나 지정의 학습은 다르다.

지정의 학습은 학생들이 그들 스스로 학습의 주체자가 되기를 바란다. 그리고 자신의 글을 계속해서 수정·보완Redo하는 작업을 통해 '진정한 나의 것'을 만들도록 이끌고 있다. 이를 위한 중요 과정이 바로 필자(박병기)의 피드백이다. 필자(박병기)는 엄격하지만 따뜻한 피드백을 주려고 노력한다. 그리고 이러한 피드백은 학습자들이 자발적으로 학습에 참여하도록 동기 부여해주며 나아가 더 열심히 하겠다는 의욕을 준다. 필자는 본 과정의 모든 학습자의 글을 매일 매일 읽고 다음과 같은 피드백을 비공개댓글로 준다.

"철자 검사를 다시 해보세요."

"비문[T]입니다. 다시 해보세요."

"'지'를 다시 해보세요."

"'정'을 다시 해보세요."

"'의'를 구체적으로 다시 해보세요."

피드백은 위에 언급된 것처럼 지정의 쓰는 방법에 대한 것을

T 나무위키(2020. 08. 22)에 따르면, 비문은 문법에 맞지 않는 문장을 이르는 말이다. 필자(박병기)는 "주어와 서술어 또는 목적어와 서술어의 호흥이 되지 않는 문장이 있거나, 문장구조가 복잡하거나, 문장이 길어질 경우 자신도 모르게 비문을 쓰게 된다"며 이 부분에 대한 피드백을 학습자에게 주고 있다(네이버밴드 'eBPSS 지정의 학습'. 2020. 08. 22. https://band.us/band/80429015/post/151)

아주 구체적으로 제시한다. 또한, 학습자가 쓴 글의 내용에 대한 동의, 지지, 격려, 응원 등의 따뜻한 피드백도 덧붙인다. 그리고 'Redo'라는 평가를 준다. 지정의 학습에서 'Redo' 즉 다시 쓰기는 축복이라 여긴다. 자신의 글을 돌아보고 점검하는 시간이다. 이 과정을 필자(박병기)는 "Redo는 우리의 생각과 방법을 더 날카롭고 정교하게 만드는 과정입니다. Redo는 결코 부끄러운 게 아닙니다. Redo는 축복입니다!"라며 학습자들이 Redo의 과정을 기쁘고 즐겁게 받아들이며 더 성장하는 기회가 되기를 바라고 있다.

지정의 학습은 교수자의 일방적인 강의가 없다. 교수자의 위와 같은 간단한 피드백이 있기에 교수자와 학습자 간의 계층 구조가 수평화된다(정서지능). 교수자는 평가가 아닌 간단하고 짧은 피드백을 한다. 이는 단순 평가가 아니기에 학습자는 교수자의 피드백에 질문하거나 피드백에 맞게 다시 쓰기의 과정을 통해 서로 소통하고 의견을 교환한다. 이러한 수평적 구조에 대해 필자(박병기)는 "각자 있는 곳에서 눈치 보지 않고 창의적 아이디어를 올릴 수 있다. 자연스레 창의성을 격려하는 환경으로 이끄는 '정'(정서 능력)이 향상될 수밖에 없다."[U]라고 말한다. 실제 지정의 교육 현장에서는 이러한 일들이 일어난다. 아래는 교수자와 학습자 간 수평적 구조와 피드백을 통한 소통의 한 예이다.

U　박병기. 2018. 4차 산업혁명시대의 리더십, 교육&교회. 거꾸로미디어.

2020년 8월 3일 교수자가 제시한 신문 기사[V]를 읽고 학습자인 양성규 학생(12세)이 지정의 학습을 올린 것이다. 관련 기사는 오른쪽 QR코드를 통해 볼 수 있다.

지

'구글 스타트업 캠퍼스'에서 경력이 단절된 여성(경단녀)들에게 창업을 할 수 있는 기회를 주고 있다는 것을 알았습니다. 낮에는 캠퍼스에서 창업을 공부하고 저녁에는 창업 활동을 한다고 합니다. 경단녀들이 이렇게 창업을 할 수 있는 이유는 자신의 전공과 경험을 바탕으로 고객의 만족을 목적으로 두었기 때문입니다. 특히, 고객을 자신들과 밀접한 관계가 있는 '엄마와 아이'이었기 때문에 창업에 성공을 할 수 있었다는 것을 알게 되었습니다.

정

손자병법에 '지피지기 백전불태'라는 말이 있습니다. 경단녀이셨던 이분들이 창업에 성공을 할 수 있었던 이유는 이분들이 창업자이자 고객이었기 때문이라고 생각합니다. 누구보다 고객의 입장과 생각을 잘 알고 있기 때문에 고객이 무엇을 원하는지, 무엇이 불편한지, 무엇이 필요한지를 알고 그것을 채워준 것이 놀랍습니다. 두드리는 자에게

V 필자(박병기)는 기자 출신으로 매일 포털 사이트에 올라오는 400개 이상의 신문 기사를 읽고 그중 함께 읽으면 좋겠다고 생각하는 좋은 기사 한 편을 추천, 지정의 학습을 하도록 게시물을 올리고 있다. 이 게시물 중 8월 3일에 지정의 학습으로 제시된 기사는 다음과 같다. 노승욱, 반진욱, 박지영. (2020. 07. 31). 경력단절 극복한 여성 스타트업 CEO 3인 | 구글 스타트업 캠퍼스 덕분에…'주독야창'. 매경이코노미. http://naver.me/FqVq4mcA

문이 열린다고 합니다. 창업자들은 생각을 실천으로 옮겼기 때문에 좋은 결과가 있으셨겠죠. 이점을 깊이 새기게 되고 존경스럽습니다.

의

생각은 누구나 할 수 있습니다. 하지만 그 생각을 실천으로 옮기는 것은 누구나 하는 것은 아닙니다. 이 글을 읽으며 생각을 실천으로 옮기는 경단녀였던 창업자분들께 박수를 보내드리고 싶습니다. 저는 생각을 실천으로 옮기는데 필요한 용기가 부족한 것 같습니다. 우리가 매일 '지정의 학습'을 하고 있고, '의'에 대한 실천을 하나씩 쌓아가고 있지만, 실천에는 조금 게을렀던 제 모습을 돌아보게 됩니다. 우선, 제가 그동안 썼던 '의' 목록을 정리한 후 체크리스트를 만들어 실천한 것들과 실천하지 못한 것을 나누어 보겠습니다. 그 체크리스트를 공유하겠습니다.

I : I learned that the 'Google Startup Campus' is giving women whose careers are cut off an opportunity to start a business. They study entrepreneurship on campus during the day and start entrepreneurship activities in the evening. The reason why women with disconnected careers can start a business in this way is that they aim to satisfy customers based on their majors and experiences. In particular, I learned that I was able to succeed in starting a business because the customers were'mothers and children' who had a close relationship with them.

E : There is a saying in the grandson's defense method,'the groundbreaking keeper. I think that the reason why women with disconnected careers succeeded in starting a business is that they were founders and customers. It is amazing to know what customers want, what is uncomfortable, and what they need because we know customers' positions and thoughts better than anyone else. It is said that the door opens to the knocker. The founders must have had good results because they put their thoughts into action. This is deeply engraved and respected.

V : Anyone can think. But not everyone puts that idea into action. I would like to applaud the founders, who were women whose careers were cut off in putting their thoughts into practice while reading this article. I seem to lack the courage required to put my thoughts into action. We are doing 'IEV Study' every day, and we are accumulating the practice of 'V' one by one, but I look back on how I was a little lazy in practice. First of all, after organizing the 'V' list I've been using, I will make a checklist and share what I did and what I didn't. I'll share that checklist.

양성규 학생의 지정의 글에 교수자인 필자(박병기)가 준 피드백은 "지피지기 '백전불태'(?)"였다. 여기서 잠깐!. 누군가는 "아니 '백전불태'가 무슨 문제 있어?", "맞는 말인데?"라고 할지도 모른다. 그러나 필자(박병기)는 26년간 미국에서 살다 2018년에 한국에 돌아왔기에 이 단어가 조금은 낯설고 어색하게 느껴졌을 수 있음을 미리 밝힌다. 이에 학습자(양성규)는 자신이 왜 그 단어를 사용했는지를 설명했다. 그리고 교수자와 학습자 간의 수평적 구조 속 토론이 이어진다. 이 과정을 온라인상에서 실시간으로 관찰한 필자(김미영)는 교수자와 학습자 간의 토론을 바로 눈앞에서 보는 감동을 경험했다. 다음은 교수자 박병기와 학습자 양성규가 나눈 토론을 그대로 옮겨온 것이다.

교수자 : '지피지기 백전불태' (?)

양성규 : '상대를 알고 나를 알면 백번을 싸워도 위태로움이 없다.'
제가 이 문구를 인용한 이유는 경단녀 창업자들께서 엄마나 아이를 알지 못했다면 이렇게 성공하지 못했다고 생각했기 때문입니다. 고객을 누구보다 잘 알고 있기 때문에 성공할 수 있었다는 의미로 사용했습니다.

교수자 : 네 좋아요~ 오타가 있어요.

양성규 : 오타요? '백전백승'을 말씀하시는 건지요?
손자병법에는 '지피지기 백전불태'가 맞고, 제가 알기로는 이순신 장군께서 이것을 인용한 문구인 '지피지기 백전백승'을 말씀하셨다고 합니다. 그래서 우리나라 사람들에게는 '백전백승'을 더 많이 사용한다고 합니다. 제 생각에는 이 글에서 '백전백승' 보다는 '백전불태'가 더 알맞은 것 같아서요.

교수자 : 아 그렇군요~

양성규 : 知彼知己 百戰不殆(지피지기 백전불태)
不知彼而知己 一勝一負 (부지피이지기 일승일부)
不知彼不知己 每戰必殆 (부지피부지기 매전필태)
상대를 알고 자신도 알면 백 번 싸워도 위태롭지 않으나
상대를 알지 못한 채 자신만 알면 승패를 주고받을 것이며
상대도 모르고 자신도 모르면 싸움에서 반드시 위태롭다.

교수자 : 아 그렇군요~ 감사해요~

양성규 : 지금 네이버에서 확인했는데 '지피지기 백전백승'은 이순신 장군님의 난중일기에 기록되어 있다고 합니다. 저도 교수님 덕분에 다시 한번 확인할 수 있었습니다. 제가 더 감사드립니다.

학습자 양성규는 올해 만 12세로 초등학교 6학년이다. 주변에 6학년 아이들이 있다면 그 아이와 대화를 나눠보라. 꼭 남학생으로. 많은 아이가 교수자와 대화 자체를 하려 들지 않는다. 하물며 학습과 관련된 부분은 더욱더 그렇다. 자신이 제출한 과제에 대해 대학원 교수인 교수자가 피드백을 주었다. 이 피드백에 자기 생각을 아무런 제약과 거리낌 없이 자연스럽게 말할 수 있는 학생이 몇이나 될까. 한국의 교육 현장에서는 보기 드문 일이다. 공교육 현장이라면 감히 상상조차 할 수 없는 일이다.

필자(김미영)는 두 사람의 토론에서 교수자(박병기)의 학습자를 향한 존중과 배려를 발견할 수 있었다. 이는 교수자의 개인적 성품일지도 모른다. 한편으론 지난 26년간 미국 교육을 접하면서 교수자가 받은 수평적 구조의 학습 환경의 영향도 있을 것이다. 그러나 그 무엇보다 교수자가 학습자(양성규)를 존중하며 함께 토론할 수 있는 이유는 이미 다년간 구겨진 지정의를 회복하기 위해 지정의 학습을 삶으로 실천했기 때문으로 필자(김미영)는 판단했다. 지정의 학습에는 박병기 교수의 다년간 경험과 노하우가 녹아있다. 또한, 미국에서 많은 사람과 이미 지정의 학습을 진행했고, 그 과정에서 얻은 귀한 경험이 이 학습에 더해져 있다. 이는 한국 학습자에게 교수자에 대한 담을 허물고 인격적 소통을 통해 성장하고 변화할 기회가 된다.

학습자(양성규)에게는 교수자를 향한 예의와 존중이 묻어난다. 교수자의 피드백에 자기 생각을 예의 바르게 표현하고, 더 깊은 연구로 나아가는 자발성이 보인다. 자기 생각이 맞는 것인지 다시 연구하는 지속성과 겸손함으로 자기 생각을 피력하고 있다. 보통의 학습자들을 생각해보라. 주어진 평가나 피드백에 그저 순응한다. 아니 평가가 무엇이든 상관하지 않는다. 그러니 학습이 깊어질 수도 없고 성장을 경험하기도 어려운 것이다.

지정의 학습 안에 자유로운 토론과 인격적 소통이 있다. 교수자(박병기)는 계속해서 말한다. 아이들의 이런 놀라운 변화를 지정의 학습 안에서 계속해서 보게 될 것이라고. 이것은 아이들이 남보다 더 똑똑하거나 더 뛰어나거나 더 천재성이 있어서가 아니다. 교수자(박병기)는 우리의 구겨진 지정의가 날마다 지정의 학습을 통해 다림질로 펴지듯 조금씩 펴져야 한다고 말한다. 그렇게 되면 우리가 미처 발견하지 못한 자신의 진짜 모습을 발견하게 되며 진짜 하고 싶은 일이 생긴다고 생각한다. 나아가 진짜 하고 싶은 일이 생기면 창의적인 아이디어가 나올 수밖에 없다고 그는 강조한다.

글 좀 잘 썼으면 하는 맘으로 시작했는데 꿈이 생기고 살아가야 하는 이유를 찾게 되는 것이 바로 지정의 학습이다. 앞으로 소개될 내용을 통해 지정의 학습의 깊고 넓은 세계를 경험하길 바란다.

제 2 절 지정의 학습과 자성지겸예협

제1절에서 언급된 지정의 학습의 매일 미션을 보면 '성지겸예', '성지겸협', '겸예협'와 같은 단어가 보였을 것이다. 각주에서 설명했듯이 이 단어들은 단어들 사이의 줄임말이다. 이제 이 단어들이 왜 자주 등장하는지, 지정의 학습과 어떤 관련이 있는지를 소개하겠다.

먼저 '자성지겸예협'을 설명하기 전에 eBPSS 마이크로칼리지에 관해 이야기하려고 한다. 그래야 자성지겸예협이 어떤 의미가 있는 말인지 이해가 되기 때문이다. eBPSS 마이크로칼리지는 필자(박병기)가 미래 교육의 대안으로 설립한 초소형 칼리지다. 칼리지college는 단어 때문에 '대학'인가라고 생각하겠지만 대학을 포함한 초등, 중등, 대학, 대학원, 일반 성인을 위한 평생학교다. 필자(박병기)는 "제4차 산업혁명 시대라는 거대한 파도를 차세대가 BPSS[W]의 역량을 키워 시대의 큰 파도를 마음껏 즐길 수 있는 새 시대의 서퍼surfer를 양성하고자 하는 미션[X]"을 품었다. 그리고 이런 미래 인재 양성을 위해 설립한 초소형 칼리지가 바로 eBPSS 마이크로칼리지다. 자성지겸예협은 eBPSS 마이크로칼리지가 미래의 하이브리드 인재가 갖추어야 할 마스터키라고 생각하는 덕목이자, 삶

W 필자(박병기)는 제4차 산업혁명 시대라는 새 시대의 리더를 길러내기 위한 교육철학으로 'BPSS'를 제시했다. BPSS는 큰 그림(Big Picture), 9번째 지능(Spiritual Intelligence), 서번트 리더십(Servant Leadership)의 첫 글자를 딴 명칭으로 eBPSS 마이크로칼리지의 핵심 철학이다(박병기, 김희경, & 나미현, 2020).

X Ibid.

으로 실천해야 할 실천 덕목이다[Y].

자성지겸예협은 자발성, 성실함, 지속성, 겸손함, 예의, 협동심의 약어 표현이지만, 단순한 말의 줄임말이 아님을 알았을 것이다. 그렇다면 지정의 학습을 통해 어떻게 자성지겸예협을 기를 수 있을까. 이것은 지정의 학습을 하는 미션 속에 반짝거리는 보석처럼 박혀있다. 지정의 학습의 매일 미션을 간단하게 정리하면 아래와 같다.

1. **지정의 쓰기**(Sowing the seed. 성지겸)
2. **철자/문법 검사**(3차원 글쓰기. 성지겸예)
3. **영상 및 오디오**(Rethinking. 성지겸협)
4. **댓글**(깊고 넓게 보기. 상황맥락지능. 겸예협)
5. **To-do에 과제 완료 표시**
6. **다시 쓰기**(3차원 공부. 저자 되기)

자성지겸예협이 미션의 과정에 들어 있는 것이 한눈에 보이는가. 이제 구체적으로 각 과정에서 어떻게 자성지겸예협을 훈련하는지 해당 과정을 중심으로 살펴보겠다.

1. 지정의 쓰기(Sowing the seed. 성지겸) : 학습자들은 성(성실함)으로 지정의 학습을 한다. 필자(박병기)는 학습자들을 향해 이 학습이 즐겁지 않으면 그만두기를 권유한다. 억지로 하거나 과제로 하는

Y Ibid.

것은 제대로 된 지정의 학습이 아니라고 생각하기 때문이다. 지정의 학습 진행 중 '의'의 실천에 버거워하는 학습자들이 있었다. 그들을 향해 필자(박병기)는 "의意를 즐기지 않고 있는 분들은 내려놓으시길 바랍니다. 그게 여러분도 살고 생태계를 살리는 길입니다." 라고 권면한다. 나아가 "의의 실천에서 부담이 된다고 생각이 들면 '지'를 할 때 마음대로 해석하고 '정'을 할 때 마음대로 느끼거나 억지로 느껴서 그렇습니다. 아니면 느낀 게 없는데 느낀 것처럼 이전의 습관대로 쓰기 때문에 그렇습니다. 그래서 지와 정이 회복되어야 하고 그래야 제대로 된 의가 나옵니다."라며 학습자들을 의도된 지정의 학습으로 이끌어준다.

학습자들은 지(지속성)로 지정의 학습을 한다. 초기에 진행됐던 지정의 학습은 5종류로 eBPSS 마이크로칼리지의 주니어 서포터즈들과 기초반 학생들, 웨신대 석/박사과정 대학원생, eBPSS 마이크로칼리지의 학부모와 일반인으로 구성되어 있다. 여기에 나오는 단체 이름과 과정 이름은 일반 독자들에게 익숙하지 않을 것이다. 몰라도 별문제 없다. 어쨌든 이들은 각자에게 정해진 지정의 학습을 진행해야 한다.

학습자들은 자신에게 해당하는 지정의 학습을 규정에 따라 매주 자발성을 갖고 실천해야 한다. 처음엔 과제처럼 억지로 시작했을지도 모르지만, 계속되는 필자(박병기)의 피드백과 다른 학습자들의 댓글을 통한 격려와 응원을 통해 점차 자발성을 갖고 즐겁게 지정의 학습을 하는 이들도 생겨났다.

학습자들은 지정의 학습을 통해 겸(겸손)을 훈련한다. 겸손은 "

자신의 부족함을 알고 자신보다 뛰어난 자들이 있음을 겸허하게 받아들이는 자세[Z]"를 말한다. 지정의 학습의 학습자들은 오늘의 과제로 제시된 글/영상을 겸손한 자세로 경청한다. 그리고 그 맥락 안에서 자신의 부족함을 깨닫고, 느끼며, 작은 실천을 다짐한다.

2. **철자/문법 검사**(3차원 글쓰기. 성지겸예): 철자와 문법 검사는 성지겸(성실성과 지속성, 겸손)을 훈련한다. 글을 쓰는 것에서 끝나는 것이 아니라 자신의 부족함을 알고 겸손의 태도로 철자와 문법을 검사한다. 이것은 지정의 학습이 진행될 때마다 이루어지는 과정이기에 자연스럽게 성(성실성)과 지(지속성)가 길러진다. 철자와 문법 검사는 자신의 글이 더 좋은 글이 되기 위한 과정만을 포함하지 않는다. 이 과정은 자신의 글을 읽게 될 제1 독자인 필자(박병기)와 제2 독자인 함께 학습하는 학습자들에 대한 기본적인 예의이다. 철자가 수정되지 않고, 비문이 있는 글은 독자에게 글을 이해하는 데 어려움을 준다. 지정의 학습에서 이러한 독자를 배려하지 않는 글쓰기는 예(예의)가 없는 행동으로 여긴다. 그런데 여기서 필자(박병기)가 한 가지 더 강조하는 게 있다. 과제를 제출할 때만 철자 문법 검사를 하는 게 아니라 다른 일을 할 때, 다른 글을 쓸 때도 그렇게 하기를 요구한다.

Z 겸손. 2020. 08.22. 나무위키. https://namu.wiki/w/겸손

3. 영상 및 오디오(Rethinking. 성지겸협): 영상녹화 및 오디오 녹음은 철자/문법 검사와 마찬가지로 '성지겸'의 태도를 훈련한다. 지정의 학습을 할 때마다 진행되는 과정이기에 성(성실성)과 지(지속성)가 훈련된다. 또한, 글을 그대로 읽는 수준이 아니라 마치 누구에게 설명하듯이 하는 것이기에 시청자를 위한 존댓말 사용과 겸(겸손)의 태도를 유지한다. 여기서 존댓말의 사용은 시청자를 향한 배려와 겸손의 태도이기도 하지만 더 자연스러운 말하기의 과정을 돕는 것이기도 하다. 필자(박병기)는 "존댓말로 하시길 바랍니다. '지', '정', '의'라는 말을 빼시고 그저 자연스럽게 친구에게 말하듯이, 또는 앵커가 되었다고 생각하고, 또는 강의를 한다고 생각하며 자연스럽게 녹화/녹음을 하시길 바랍니다."라고 안내한다.

영상녹화와 오디오 녹음은 혼자만의 학습이 아닌 타인과의 연대이자 공유이다. 미래 교육은 협(협동심)이 중요한 키워드다. 타인에게 말하듯 영상을 녹화하고 녹음하는 과정은 자기 생각을 타인과 나누는 협(협동심)을 훈련하는 의미 있는 시간이 된다.

4. 댓글(깊고 넓게 보기. 상황맥락지능. 겸예협): 학습자들은 매일의 개인 과제를 마치면 한국어/영어 지정의 글과 영상/오디오를 네이버 밴드에 올린다. 그리고 다른 사람의 글을 읽고 영상을 보거나 오디오를 듣는다. 혼자 성장하는 공부이거나 학습이라면 타인의 지정의를 접하고 그냥 지나칠 것이다. 반응하더라도 '잘했네.', '멋지다.' 등의 간단한 댓글을 달게 될 것이다. 그러나 지정의 학습은 함께 성장하는 것을 추구한다. 나 혼자가 아니라 공동체를 생각한

다. 이에 댓글 쓰기는 타인의 글을 동료 학습자와 서로 배운다는 겸(겸손)의 자세로 깊고 넓게 경청한다는 것이다. 그리고 예(예의)를 갖추어 공감하는 댓글을 단다. 또한 상대방이 더 깊은 생각을 할 수 있도록 댓글을 단다. 이런 과정은 서로가 함께 성장하는 협(협동심)을 기르며 아름다운 공동체를 이뤄가는 토대가 된다.

지금까지 지정의 학습과 '자성지겸예협'에 대해서 살펴보았다. 지정의 학습은 글쓰기를 잘하는 독서법이나 글쓰기 방법을 넘어서는 가치를 갖는다. 필자(박병기)는 4차 산업혁명 시대라는 거대한 파도를 미래의 인재들이 두려워하는 것이 아니라 오히려 즐기는 서퍼surfer가 되기를 꿈꾼다. 앞서 설명했듯이 '자성지겸예협'은 새 시대를 즐길 서퍼surfer가 갖추어야 할 실천 덕목이다. 그리고 인공지능AI은 이러한 자성지겸예협을 갖추기가 쉽지 않다. AI 시대에 AI가 갖기 어려운 덕목을 실천하도록 하는 것이 지정의 학습이다. 지정의 학습을 통해 새 시대를 준비하는 역량도 함께 높아지길 바란다.

제 3 절 지정의 학습과 3차원 공부

3차원 공부라고 들어본 적이 있는가. 대한민국 1호 인지학 박사이자 베스트셀러 작가인 박경숙은 자신의 저서 「진짜 공부」를 통해 4차 산업혁명 시대의 변화에 대응하기 위한 창의성과 비판 능력을 키워주는 공부법을 제시했다. 저자는 공부의 유형을 1차원, 2차원, 3차원 공부로 나누어 설명했다. 1차원 공부는 시험 통과를 목표로 하는 살아남기 위한 공부로 단편적이고 피상적인 암기식 공부이다. 2차원 공부는 경쟁에서 이기기 위한 공부이자 가장 좋은 성적을 위해 주도적이고 전략적으로 하는 공부이다. 3차원 공부는 즐기며 깊게 하는 공부이다. 3차원 공부는 글 속에 숨은 뜻과 응용법을 익히며 하나의 문제에 대해 깊이 생각하고 다양한 방법으로 답을 찾고자 시도하는 공부이다. 자신이 답을 만들어 내려고 하고 자신의 결론을 재평가하는 즐거움을 누리며, 과제가 주는 호기심과 흥미를 통해 즐거움을 느낀다. 정답이 없는 문제를 풀기 위한 공부이며 특히 즐거움을 느끼는 분야에서 나만의 방법을 찾아가는 과정이기도 하다.[53)]

뭔가 눈치를 챘는가. 지정의 학습이 바로 3차원 공부이다. 지정의 학습에서 필자(박병기)가 가장 중요하게 여기는 것이 바로 '즐거움'이다. 필자(박병기)는 학습자들에게 즐겁지 않은 학습은 학습자 자신에게나 생태계 모두에게 좋지 않은 영향을 준다고 믿기에 즐겁게 참여할 것을 거듭 강조한다. 즐겁지 않으면 굳이 이 학습을 할 필요가 없다고 강조하고 또 강조한다.

실례로, eBPSS 마이크로칼리지 기초반 초등학생 김00 친구의 사례를 들어보겠다. 학습자(김00, 9세)는 지정의 학습 3일 차를 맞았다. 그날은 2020년 7월 8일이었고, 지정의 과제는 교수자(박병기)의 글을 읽고 지정의를 하는 것이었다. 교수자의 글은 다음과 같았다.

오래전 일이다. LA 다저스 구단에서 일하는 K라는 후배가 있었다. K는 그야말로 야구에 미친 사람이었다. 인턴십으로 일을 하기에 월급도 적었다.

하지만 그는 열정적이었다. 어느 날 박찬호 선수와 대화를 할 일이 있던 K는 야구에 대해 정말 열정적으로 말을 했는데 박찬호 선수는 "K 씨는 저보다 야구를 더 좋아하는 것 같다"라고 말했다고 한다.

연봉 몇백만 달러를 받는 선수가 월급 몇백 달러 받는 인턴보다 야구를 더 사랑하지 않았다. 사실 많은 프로 선수들이 해당 종목을 사랑해서 열심을 내기보다는 높은 연봉을 위해 최선을 다한다. 아니면 팀 승리 후의 명예라는 목표를 위해... 해당 종목을 정말 사랑해서 열심을 내는 사람은 그다지 많지 않다.

자본주의의 노예라는 농담 아닌 농담을 요즘 자주 듣는다. 배우들은 입금이 되면 눈물 연기가 나오고 어려운 장면도 잘 소화해낸다고 농담 아닌 농담을 한다. 그들의 제1 목적이 돈이라면 그것처럼 슬픈 일은 없다. 물론 돈은 현실적으로 필요하다. 의식주를 해결하는 데 필요하니까. 그런데 그것이 제2, 3의 목적이 아니라 제1의 목적이라면 다시 한번 그 일을 왜 하는지 자문해 볼 필요가 있다.

입금이 안 되어도 혹은 입금 액수가 적어도 시간 가는 줄 모르고 하는 일. 그것이 바로 우리의 사명과 연관 있는 일이다. 그렇게 하다 보니 입금도 많이 된다면 금상첨화지만... 사명으로 일을 하는 사람들은 자성지겸예협도 뛰어나다. 자발성, 성실함, 지속성, 겸손함, 예의, 협동심이 그것이다.

K 씨는 친분이 있어 다저스 구단 밖에서도 볼 일이 자주 있었는데 그는 야구에 관한한 자성지겸예협이 뛰어났다. 다른 일을 함께할 때는 자성지겸예협이 거의 보이지 않았다. 내 입에서 "에휴"라는 소리

가 늘 나올 정도였다.

자성지겸예협을 펼칠 수 있는, 시간 가는 줄 모르는 일을 찾는 것은 행복이다. K는 몇 년 전 만났을 때 유사 분야에서 일하고 있었고 행복해 했다. 입금이 되어야만 하는 일, 직책(책임)이 있어서 하는 일, 과제니까 하는 일보다는 그런 것이 없어도 나도 모르게 즐겁고 보람을 느끼는 일을 찾아야 한다. 그래야 내재된 자성지겸예협이 나온다. 그런 일이 없다면? 참으로 불행한 것이다.

아래는 학습자(김00)가 쓴 위 내용에 대한 지정의 글이다.

지

자신이 하는 일이 큰일은 아니지만 언제나 열정적이고, 긍정적일 수 있다는 것을 알았고, 맡게 된 책임에 대해서 열심히 일하는 사람에게는 자성지겸예협이 몸에 잘 배어있다는 것을 알았다. 또 자유가 아닌 일을 하기보다는 나도 모르게 즐겁고 뿌듯함을 느끼는 일을 찾아야 한다는 것을 알았다.

정

맡겨진 책임에 대하여 일하는 사람은 힘들어서 자성지겸예협이 잘 되어있지 않을 거로 생각했지만 의외로 자성지겸예협이 잘 배어있다는 사실에 놀랐다.

의

난 이제부터는 내가 원하는 것을 찾아가겠다. 이것으로 난 자유를 더 원하기 때문에 나의 BPSS에 지정의 마지막을 마치겠다.

학습자(김00)의 글을 보면 학습자는 과제로 제시된 글을 통해 글쓴이의 의도를 파악하려고 노력했고, 글 속의 상황을 자신의 문제로 가져와 그 답을 찾으려 했다. '지'의 내용을 보면 "자신도 모르게 즐겁고 뿌듯함을 느끼는 일을 찾아야 한다는 것을 알았다."라고 쓰여 있다. 그리고 '정'을 통해 즐거움으로 맡겨진 일을 하는 사람에게는 '자성지겸예협'이 배어있다는 것에 놀라 하는 감정이 표현되어 있다. 그리고 '의'를 통해 글 속의 상황을 자신의 문제로 가져왔다. 자신만의 답을 찾는 과정을 한 것이다. 학습자(김00)는 자신이 원하는 것을 하겠다며 지정의 학습을 그만두기로 다짐했다.

학습자(김00)의 지정의에는 3차원 공부가 그대로 녹아있었다. 더 놀라운 것은 교수자(박병기)의 피드백이다. "00이가 정말 신나게 하는 걸 찾아가기를 바래요~". 이것이 교수자(박병기)의 피드백이었다. 그리고 여기서 끝이 아니라 모든 공동체에 다음과 같은 글을 게시하며 학습자(김00)의 상황을 공유했다.

> 김00 양은 지정의 학습의 "의"의 실천으로 지정의 매일 학습을 떠나기로 했습니다. 자신이 원하는 것을, 즐겁게 할 수 있는 것을 찾아 떠나는 00의 앞길을 축복합니다. 여러분도 즐겁게 할 수 있는 일, 힘들어도 꼭 하고 싶다고 생각하는 일, 사명(소명)의 일을 찾아 나서시길 바랍니다. 그것이 지정의 학습이면 이 안에서 즐겁고 신나게 해보아요. 그리고 00 양은 다음 시즌에 언제든 매일 학습으로 다시 돌아올 수 있습니다.

즐겁게 학습하는 3차원 공부는 교수자(박병기)만의 생각이 아니다. 지정의 학습에 참여하는 모든 학습자가 동의하며, 즐거움 마음으로 학습에 임하고 있다. 아래는 학습자(김00)의 상황에 대한 교수자(박병기)가 올린 위의 글에 달린 댓글이다.

문정현(12세) : 00가 BPSS를 나가서도 자신이 원하는 일, 사명의 일을 찾아 나가길 바랄게요!

양성규(12세) : 00야! 학교에서 만나면 인사하자~~ 넌 잘 할 수 있을 거야. 네 나이에 도전을 했다는 것만으로도 대단한 걸... 읽고 싶은 책 많이 읽고 다음 도전에는 mission complete 하길 바랄게.

학습자(김00, 9세) : 말씀 감사합니다! 지도해 주셔서 감사합니다!

누구도 학습자(김00)가 자신에게 더 즐거운 일을 향해 지정의 학습을 그만두는 것에 뭐라 하지 않는다. 오히려 진정한 즐거움을 찾아가기를 응원해주고 있다. 그것도 성인이 아닌 같은 초등학생들인데 말이다. 또한, 학습자(김00)는 중도에 학습을 그만둔다는 패배자나 낙오자의 기분이 아니라 '감사'함으로 기쁘고 즐겁게 마지막 인사를 남기고 있다. 이 모든 것이 가능한 이유는 지정의 학습이 즐기며 깊게 공부하는 3차원 공부이기 때문이다.

학습자(김00)의 다음 행보가 궁금한가. '의'의 실천으로 지정의 학습을 그만두기로 한 후 20일이 지난 7월 28일에 학습자(김00)는 지정의 학습으로 돌아왔다. 자발적으로.

이번에는 성인 학습자의 사례를 살펴보려고 한다. 학습자(이찬희)는 웨신대 사회문화교육학과 자연치유학전공 대학원생이다. 학습자(이찬희)는 지정의 학습을 거의 매일 진행하고 있으며, 즐거움으로 '의'의 실천을 다짐하고 그 '의'를 실천하고 있다.

3차원 공부는 스스로 답을 만들어내려고 하고 자기 결론을 재평가하는 즐거움을 누리는 것이 특징인데 바로 이런 재평가를 스스로 하는 참가자이다. 그는 매일의 과제를 읽고 그 글 속에 숨은 뜻을 발견하고자 노력했다. 나아가 이 글을 과제로 제시한 교수자의 의도도 파악하면서 호기심을 가지고 즐거움으로 지정의 학습을 했다. 그는 글에서 말하고자 하는 문제 상황을 깊이 있게 생각하고, 자신의 상황으로 그 문제를 가져와 자신만의 해결책을 찾아가려 했다. 또한, 자신의 글을 재평가하는 즐거움으로 'Self Redo(셀프 리두)'를 실천했다. 앞서 언급했듯이 'Redo'는 교수자가 학습자의 글을 보고 다시 쓰기를 권하는 과정인데, 학습자(이찬희)는 교수자의 피드백과 상관없이 스스로 'Self Redo'를 다짐했고, 이를 실천으로 옮겼다.

학습자(이찬희)는 "Self Redo를 하면서 'Redo는 축복입니다.'라는 말을 이해하게 되었습니다. 고맙습니다. *^^*~"라는 댓글을 달 정도로 지정의 학습을 즐기며 참여하고 있다. 다음은 학습자(이찬희)가 진행한 지정의 글과 그 글에 대한 'Self Redo'이다. 7월 8일에 제시된 과제는 ['내 인생 노답인데?' 싶을 때 펼칠 책[AA]] Chapter 4를

AA 박병기, 박혜안. 2020. '내 인생 노답인데? 싶을 때 펼칠 책. 거꾸로미디어.

읽고 지정의를 하는 것이었다.

< 7월 8일 지정의 학습 >

#지知

어떻게 해야 타인에게 도움을 줄 수 있을지, 그리고 어떻게 해야 사회와 세계에 도움이 될 수 있을지를 고민한 결과들을 이야기하고 있다.

- 우리는 빠르게 바뀐 환경 속에서 그 어느 때보다 더 강력하고 넓게 타인에게 영향력을 행사하고 있다.
- '나'는 타인의 행동에 영향을 받게 되고 또 나의 행동이 타인에게 영향을 주는 사회 속에 있다.
- 우리는 이제 '나'를 위해 타인을 배려하고 사회를 살펴야 한다.
- 재밌는 것은 그렇게 되면 내 주위에는 나와 비슷한 사람들이 점차 늘어날 것이라는 점이다.
- 적어도 내가 손을 내민다면 내 주변의 사람들은 '내가 손을 내민 적이 있다'는 사실 정도는 인지한다.

→ 급변하는 세상 속에서 생각보다 많은 영향을 주고받고 있다는 것을 다시 한번 알게 되었다.

#정情

랜선 친구인 디아 라토라와 아이다 잭슨의 이야기를 통해 연락처도 없이 8,050km 나 떨어진 공간을 넘어 도움을 주고받을 수 있었다는 것에 놀라웠다.

만약 내가 그런 상황이었다면 어쩔 줄 몰라 우왕좌왕하며 애만 태우고 있을 것을 생각하니 아찔하다.
10년 넘게 웃음 봉사를 해오다 코로나 19로 인해 잠정중단된 상태인데 그냥 손만 놓고 있는 나 자신이 한심하게 느껴진다.

#의意
9월부터 Zoom을 통해 웃음 봉사를 할 수 있도록 계획을 세우고 방안을 마련하겠다.
그리고 1주일에 1회씩 블로그에 글을 올리기 시작하고, 1달에 한번씩 동영상을 유튜브에 올리겠다.

< Redo 8월 18일 [Redo is a blessing!] Self Redo 지정의 학습 >

#지知
저자는 어떻게 해야 타인에게 도움을 줄 수 있을지, 그리고 어떻게 해야 사회와 세계에 도움이 될 수 있을지를 고민한 결과들을 이야기한다.
'나'는 타인의 행동에 영향을 받게 되고 또 나의 행동이 타인에게 영향을 주는 사회 속에 살고 있다. 랜선 친구인 디아 라토라와 아이다 잭슨의 이야기처럼 기술의 발달이 불러온 네트워크 세상은 내가 펼칠 수 있는 영향력의 범위를 무한정으로 넓혔다.
저자는 "'나'를 위해 타인을 배려하고 사회를 살펴야 한다."라고 말한다. 이 말은 BPSS가 증강세계 생태계를 아름답게 만들어가기 위해 타인을 향하고 있음을 알려준다.

#정情

"타인을 향한 태도가 어때야 하는지 명확하게 알고 있다면, 위에서 일어나는 일들의 많은 부분을 미리 예방할 수 있기 때문이다."라는 말에 나를 돌아보게 된다. 특별히 아이들에게 동등한 인격체라는 태도 보다는 부모라는 태도로 대한 것 같아 반성하고 미안한 마음이 든다.

#의意

어떻게 해야 타인에게 도움을 줄 수 있을지 생각하며 도움을 주는 사람이 되기 위해 작은 실천을 하겠다.

< 작은 실천 >

1) 미래저널, 지정의 학습 매일 작성하기
2) 댓글 3개 이상 달기
3) 밴드에 올라오는 자료 3개 이상 챙겨보기
4) 미래저널 주간리뷰 (매주 일요일)
5) 최강의 책 매일 한 페이지 이상 읽고, 한 줄 이상 글쓰기
6) Self Redo
7) 사명 선언문 10번씩 낭독하기
8) 작은 실천 내용을 "의"의 실천에 주간리뷰 하기.

이 밖에도 지정의 학습자들이 3차원 공부로 이 학습에 참여하는 모습은 곳곳에서 발견된다. 학습자(문OO)는 처음에는 지정의

학습을 과제를 하듯 임했다. 그러나 점점 지정의 학습에 즐거움을 느끼며 매일 아침 가장 먼저 지정의를 하고 글을 올리는 열심을 내고 있다. 매 지정의에서 'Good Job'을 받지 않지만 매일 빠짐없이 지정의를 하고 있다. 어떤 경우엔 2일 연속 'Redo'를 받을 때도 있어 속상해하거나 낙심하지 않을까 염려도 했었다. 그러나 학습자(문OO)는 여전히 이 지정의 학습을 즐기고 있다. 그런가 하면 학습자(손OO)는 영상을 올릴 때 자막을 추가하여 올리기도 했다. 성인 학습자 백성숙은 휴가를 간 여행지에서 지정의 학습을 진행했다. 이는 증강 세계 속에서 이루어지는 지정의 학습이 갖는 매력이고 장점이자 학습자가 즐기고 있다는 증거이다. 이러한 모든 일은 즐겁지 않다면 결코 일어날 수 없는 일들이다. 만약 앞서 언급한 학습자들 외에 창의적인 방법으로 지정의 학습을 즐기고 있는 분들의 사례를 추천받았다면 서로 자신의 이야기를 써달라고 할 것이다. 이 모든 것이 지정의 학습이 즐기며 깊게 배우는 3차원 공부라는 반증이다.

경험해 보고 싶지 않은가. 살아남기 위해서도 아니고, 경쟁에서 이기기 위해서도 아닌 하나의 문제에 대해 깊이 생각하고, 다양한 방법으로 답을 찾고자 시도하는 가운데 즐거움과 깊이가 더해지는 지정의 학습. 이 놀라운 현장으로 어서 와보라. 그러나, 성급히 이 책을 덮고 시도하기보다는 앞으로 더 이어질 지정의 학습의 매력을 맘껏 더 누린 후 우리와 함께하기를 바란다.

제 4 절 지정의 학습과 서번트 리더십

코로나 19로 전 세계가 대혼란을 겪고 있다. 지금 세상은 예측할 수 없는 불확실성의 시대이다. 감염자가 줄고 곧 종식이 될 것이라고 방심하는 순간 다시 확진자가 급증하며 모든 상황을 위기로 몰아간다. 상황의 추이를 보며 대응 정책을 펼치고 대안을 마련하지만, 이내 예상과는 다르게 흘러가는 코로나의 확산으로 정부나 기업, 그리고 전문가마저 해답을 찾기 어려운 실정이다. 비단 우리나라만의 문제가 아니라 전 세계 국가와 기업이 겪는 문제이다. 이러한 예측 불가능한 시대에 필요한 리더십은 무엇일까.

필자(박병기)는 개념적 리더십이라고 생각한다. 개념적 관점은 어떤 사람이 일상생활의 현실을 뛰어넘어서 생각하는 것인데, 개념적 관점을 가진 사람은 멀리 넓게 내다볼 수 있기 때문이다. 개념적 관점을 가진 사람은 눈앞에 보이는 현상, 눈앞에 놓인 이익, 눈앞에서 할 수 있는 일에 집중하는 것이 아니다. 이들은 자신이 소속된 단체나 집단, 나라를 위해 장기적이고 폭넓은 비전을 제공할 수 있기에 예측 불가능한 시대에 너무나 필요한 리더십이다. 지정의 학습 개발자(박병기)의 생각은 서번트 리더십 전문가인 로버트 그린리프Robert Greenleaf의 이론과 일맥상통한다. 그린리프는 서번트 리더십을 처음 소개한 사람으로 "리더는 개념적인 사람이어야 하고, 비전이 없는 세상에 비전을 제공하고 그 세상에 함몰되지

않는 사람"이라고 설명했다.[AB]

필자(박병기)는 그린리프의 리더십 이론을 개념적 리더십과 연결했다. 이를 통해 서번트 리더십을 소유한 자가 바로 개념적 리더십을 갖게 된다는 결론을 얻었고, 서번트 리더에 대해 다음과 같이 정의했다.

서번트 리더는 어떤 스타일이 아니라 마음에서 우러나오는 남을 향한 태도이다. 서번트 리더는 '예스맨'이 아니다. 서번트 리더는 어떤 일에 대해서는 강력히 주장하는 것이 적절하다고 보지만 어떤 일에 대해서는 연약하게 반응하는 모습을 보이는 사람이다[AC].

서번트 리더는 양심에 따라 타인을 섬기며 돕는다. 또한, 타인의 성장을 위해 용기 내어 행동하며 공동체의 나아갈 방향을 제시한다. 개념적 리더십은 곧 서번트 리더십이다. 이러한 개념적 리더십을 가진 리더는 코로나 19와 같은 대혼란과 예측 불가능한 시대에 미래를 내다보며 국가와 기업, 그리고 각자가 속한 공동체에 장기적인 비전을 제공해 줄 것이다. 또한, 코로나 19의 여러 어려움과 혼란으로 움츠려있는 사람에게 찾아가 그 안에 있는 잠재력을 끌어내 전문적으로나 감정적으로 성장하도록 도울 것이다. 이뿐만

AB 박병기. 2018. 「제4차 산업혁명 시대의 리더십, 교육&교회」. 거꾸로미디어

AC Ibid.

아니라 돌봄이 필요한 경제적·사회적 약자를 섬기고 그들의 필요를 채워주고자 노력할 것이다. 전통적 리더십의 수직적 조직문화를 소통과 존중의 수평적 조직문화로 이끌 것이며, 인간 내면에 존재하는 박애와 이타심으로 배려를 실천할 것이다.[54)]

이러한 리더를 경험해 본 적이 있는가. 아니 경험해 본 적은 없지만, 당신의 리더가 '만약에 이런 리더라면'하고 꿈꿔본 적이 있는가. 기존의 전통적 리더십은 새 시대를 선도할 리더십이 못 된다.

지금 우리가 겪는 이러한 혼란과 4차 산업혁명 시대의 리더에게 필요한 역량을 미리 간파한 필자(박병기)는 새 시대를 선도할 리더 양성을 목적으로 지정의 학습 과정 안에 서번트 리더십을 훈련할 수 있도록 계획했다.

지정의 학습은 서번트 리더십을 향상할 수 있는 리더십 교육센터와 같다. 래리 스피어스Larry Spears는 그린리프의 서번트 리더십 이론을 토대로 서번트 리더의 10가지 특성을 정리한 바 있는 서번트 리더십계의 '그루guru'다. 그가 정리한 서번트 리더의 10가지 특징은 경청, 공감, 치유, 인식, 설득, 개념화, 미래 보기, 청지기 정신, 이웃의 성장에 헌신하기, 공동체 세우기이다.[55)] 이 10가지 특징 중 눈에 확연히 드러난 몇 가지를 중심으로 지정의 학습에서 어떻게 서번트 리더십이 향상되는지 소개하고자 한다. 지정의 학습은 '글과 영상'을 학습 매체로 사용하지만 아래 소개에서는 '글'로 통일해 표기한다. 또한, 청소년 학습자는 영상을 촬영하고 성인 학습자들은 오디오 녹음을 하여 지정의 글과 함께 올리는데 이 부분도 '녹음'으로 통일해서 표현하겠다.

과제로 제시된 글을 집중해서 읽으며 글을 쓴 저자와 과제를 제시한 교수자의 의도를 경청한다. 이러한 경청은 글을 집중하여 읽게 하며 정독과 다독이 자연스럽게 이루어지게 한다. 글에 대한 경청이 제대로 진행되지 않으면 '지'를 제대로 쓸 수 없기에 모든 학습자는 글을 이해하며 귀 기울여 듣는다.

경청은 '댓글 쓰기' 과정에서도 일어난다. 댓글을 쓰려면 먼저 다른 학습자의 지정의 글과 녹음을 귀 기울여 읽고 들어야 한다. 그래야 피드백을 겸한 댓글 쓰기가 가능하기 때문이다. 이때도 그냥 흘려듣기나 선택적 듣기가 아니다. 단순히 읽는 수준이 아니라 성우나 앵커, 교사처럼 말하듯이 혹은 가르치듯이 녹음을 하기에 귀 기울여 듣기와 분석하며 듣기가 가능하다.

경청의 과정은 교수자가 지정의 학습 과정 중 느낀 소감문이나 새로운 AI 기술 소개, 지정의 교재 소개, 공지사항 등을 올리는 경우에도 일어난다. 학습자들은 과제에서만 경청하는 것이 아니라 다른 글에도 경청할 것을 요청받는다. 이 일이 초기 단계에서는 잘 이뤄지지 않았지만 프로그램 개발자(박병기)는 그 마음으로 디자인했다고 한다.

지정의 학습에서의 경청은 스티븐 코비가 제시한 경청의 5단계[AD56)]중 가장 높은 단계인 '공감적 경청'의 수준이다. 공감적 경청

AD 스티븐 코비는 그의 저서 「성공하는 사람들의 7가지 습관」에서 5번째 습관으로 '먼저 이

은 말의 내용에 집중하면서 말하는 이가 어떤 느낌을 가지고 이야기하는지 추측하며 듣는 것이다. 말의 내용 이면에 숨겨진 의미도 이해하려고 노력하는 것이다. 동시에 전달자의 느낌이 들게 되면서 전달자와 소통이 이루어진다.

경청에서 기억해야 할 가장 중요한 것이 있다. 경청은 서번트의 양심에서 시작한다는 것이다. 바로 마음에서 시작하는 경청이다. 어떤가. 놀랍지 않은가. 단순히 듣는 수준이 아니다. 공감적 경청이 화자와의 대화에서만 이루어지는 것이 아니라 저자와 과제를 제시한 사람과도 이루어질 수 있음을 경험해 보길 바란다.

공감 : 다른 사람의 관점을 소중하게 여기기

공감은 공감적 경청에서 자연스럽게 나온다. 공감적 경청을 통해 이미 다른 사람(저자/교수자)의 관점을 소중히 여기는 공감이 일어난다. 지정의 쓰기에서 '정'은 바로 공감의 표현이다. 소통 전문가들은 상대와 공감하기 전에 나와의 공감을 먼저 하라고 한다. 지정의 학습은 자신의 지정의 쓰기를 통해 이미 자기와의 공감을 경험한다. 그러기에 공감은 여기서 멈추지 않고 '댓글 쓰기'를 통해 상대와의 공감으로 이어진다.

자신에 대한 공감에서 타인에 대한 공감으로 확장된 댓글 쓰기는 온라인상에서 진정한 소통을 경험하게 해준다. 많은 사람이 온

해하고 다음에 이해시켜라'를 제시하면서 경청의 5단계를 말했다. 경청의 5단계는 무시하기, 듣는 척하기, 선택적 듣기, 귀 기울여 듣기, 공감적 경청이다.

라인 교육은 인격적이지 않고 구성원 간의 교제가 충분히 이루어지기 어렵다며 부정적인 견해를 밝히곤 한다. 필자(박병기)의 생각은 다르다. 필자(박병기)는 온라인이기 때문에 교제가 발생하지 않는 것이 아니라 특별한 계기 또는 사람의 마음의 자세에 따라 상황이 달라진다고 생각한다. 온라인에서 만나느냐 오프라인에서 만나느냐 보다는 개인의 마음 자세에 따라 공감 범위는 달라질 것이다. 코로나 19와 같은 비대면의 상황에서 교육을 지속할 수 있게 해주는 아주 중요하고도 효과적인 방법은 온라인 교육이다. 온라인 교육은 이제 교육 현장에서의 새로운 플랫폼으로 인식돼야 한다.

지정의 학습의 공감은 이러한 필자(박병기)의 주장을 뒷받침하는 근거가 된다. 지정의 학습에서 학습자들은 과제를 위한 댓글 쓰기가 아니라 증강 세계 생태계를 아름답게 만들기 위해 진정한 소통을 나눈다. 아래는 필자(박병기)가 학습자들에게 지정의 학습의 목적에 대해 설명한 글이다.

우리는 이곳에서 단순히 학습을 하는 게 아니라 증강세계 공동체를 만들고 생태계를 만들고 있습니다. 과제를 하러 온 게 아니라 증강세계 생태계를 아름답게 만들기 위해 온 것입니다.

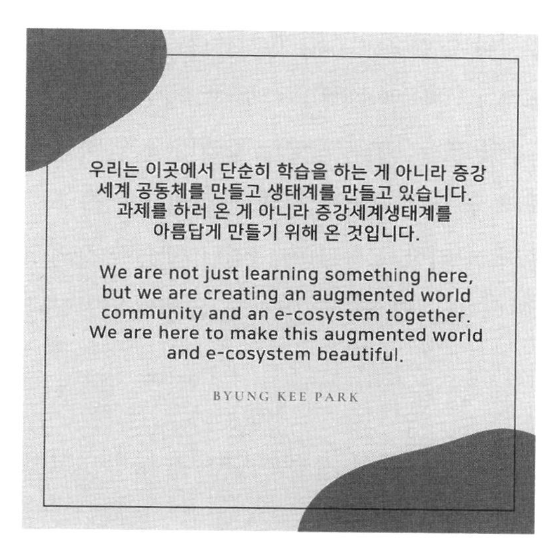

[그림 1] 지정의 학습의 목적

치유 : 정신적, 육체적 건강 돌보기

치유는 공감을 통해 이루어진다. 나 자신과의 깊은 공감을 통해 자신의 정신적 상태를 점검하고 감정을 객관화시킨다. '정'에 공감한 것을 '슬프다', '힘들다', '외롭다', '답답하다'와 같은 감정단어를 사용하여 표현함으로써 객관화된 감정으로 외부로 표출하게 된다. 이런 과정에서 학습자는 치유를 경험한다. 타인과의 깊은 공감 역시 치유를 경험하게 해준다. 이 경우 학습자 자신은 물론 다른 학습자도 치유를 함께 경험한다. 다른 사람의 '정'을 읽고 경청·공감하면서 자신도 몰랐던 감정을 발견하기도 한다. 자신과 비슷한 감정을 느낀 학습자와는 감정이 이입되면서 나만의 문제가 아니라는 인식과 함께 자연스럽게 치유를 경험하게 된다.

교수자 또는 FT(퍼실리테이터)의 피드백이 치유를 경험하게 하기도 한다. 교수자 또는 FT는 '맞다', '틀리다'를 말하는 평가가 아닌 학습자의 글에 공감적 경청을 하며 공감의 언어를 사용해 위로와 격려를 해준다. 이러한 교수자(또는 FT)와 학습자 간의 소통은 수직적 구조가 아니라 수평적 구조이기에 심리적 평안함과 여유를 느끼게 한다.

인식 : 나의 장점과 단점을 파악하고 세상에서 벌어지는 일에 민감하기

학습자들은 '지'를 쓰면서 인식을 훈련한다. 내가 아는 것과 모르는 것을 알게 되고, 전에 알았지만 희미했던 것을 뚜렷하게 인지하는 과정을 겪는다. 다른 학습자의 지정의 글을 읽으며 자신의 글을 다시 점검하고 놓쳤던 부분과 잘못 이해한 부분을 확인하게 된다. 교수자의 피드백이 인식의 과정이 되기도 한다. '비문입니다'를 통해 자신의 글을 다시 수정하고, '철자 검사'라는 피드백을 통해 AI가 발견하지 못한 잘못 쓴 철자도 있음을 알아간다.

전체 학습자를 위한 교수자의 소감문을 통해서도 인식이 일어난다. 교수자는 학습자들이 잘못 이해한 것이나 어려워하는 글에 대해서는 '소감문'을 게시하여 바른 이해를 돕고, 방향성을 제시한다. 학습자들은 소감문을 다시 경청·공감하고, 그 과정에서 치유를 경험하며 새롭게 생각을 정립하고 분명하게 확신하는 인식을 훈련한다.

지정의 학습에서 제시되는 글이나 영상은 필자(박병기)가 엄선한 좋은 글이자 4차 산업혁명 시대와 관련해 우리가 꼭 읽어야 할 글이다. 세상에서 벌어지는 일에 민감할 수밖에 없고 나아가 시대 변화와 방향을 읽을 수 있다. 한 예로, 6월에 공개된 GPT-3의 개발, 코로나 19, 기본 소득 등 사회적 이슈와 관련된 기사들은 시대 변화를 인식하게 해준다. 추천 신간의 내용을 소개해주는 영상들은 최신 트렌드를 배워가게 해준다. 작은 실천과 습관과 관련된 글이나 영상은 자신의 장점과 단점을 파악하고 강화해야 할 것과 개선해야 할 것을 분별하게 해준다.

지정의 학습에서 빼놓을 수 없는 인식의 훈련은 매일매일 주어진 미션을 실천해가면서 학습자 스스로가 지정의 학습의 가치를 알아간다는 것이다. 이것은 교수자가 목소리 높여 반복적으로 주지시켜 알게 되는 것이 아니다. 경청과 공감을 통해 '지'를 제대로 하고, 제대로 된 '지'가 제대로 된 '정'을 느끼고 나아가 '의'를 행하게 함으로 그동안의 잘못된 감정과 행동을 인식하게 도와준다.

설득/공동체 세우기: 사람들과 함께 일하도록 설득하고 권면하기/공동체 안에서 헌신하며 발전과 향상과 성장을 도모

설득/공동체 세우기를 설명하기에 좋은 예가 있다. 지난 2020년 8월 8일 지정의 학습 과제에 소개된 내용이다. 이날은 TV 프로그램 '아이 콘택트'에 출연했던 염마에 원장과 30년 강습을 받았던

한 회원(강대선 씨) 간의 사연이 소개된 짧은 영상을 보고 지정의를 하는 것이었다. 영상의 내용을 소개하자면, 에어로빅 강사인 염마에 원장에게 지난 30년간 특별한 우정을 나누며 강습을 받았던 한 회원이 찾아왔다. 이 회원은 지난 5년간 강습을 쉬었다가 다시 에어로빅을 배우고 싶다며 재수강을 요청했다. 이에 대해 염마에 원장은 'No'라고 말했다. 각자 인터뷰를 마친 후 다시 마주하게 된 두 사람. 염마에 원장은 강대선 씨가 자신에게 얼마나 소중한 사람이었는지를 먼저 말해준다. 그리고 몸 상태가 5년 전보다 강화된 강습을 따라가기 어려울 것이라고 알려준다. 또한, 회원이 지켜야 할 수칙이 있는데 그것이 깨질 수도 있다고 말한다. 30년 우정 때문에 재수강 요청을 승인해주면 기존 회원과의 약속을 깨는 것이기에 안 된다고 단호하지만 따뜻하게 자신의 입장을 설명한다. 마지막으로 제안을 한다. 지금의 강습을 따라가기 위해 염마에 원장이 제시하는 기초 체력과 습관을 만들라는 것이다. 이에 회원은 염마에 원장의 제안을 받아들이며 영상은 훈훈하게 마무리되었다.

다수의 학습자는 염마에 원장에 대해 '너무하다'라는 반응을 보였다. 30년간 친자매처럼 생활했는데 단호히 'No'라고 말한 것에 서운해하는 영상 속 회원의 반응에 감정이 이입된 것이다. 그리고 이 감정이 염마에 원장의 리더십에 대해 불편함을 느끼게 했다.

필자(박병기)는 소감문을 통해 학습자들의 지정의에 대한 소회를 밝혔다. 필자(박병기)는 염마에 원장이 서번트 리더라고 생각했다. 다음은 필자(박병기)가 서번트 리더십을 생각하며 학습자들에게 피력한 내용이다.

염마에 원장을 보며 나는 서번트 리더라는 생각을 했다. 그는 강대선 씨의 말을 충분히 들어보고 공감했다. 그리고 그를 정신적으로 육체적으로 힐링해 주고 싶었다. 강대선 씨의 몸 상태를 인식하고 있었고 자신의 학원에서 에어로빅하려면 준비를 해야 한다고 설득했고(몸이 망가질 수 있으니) 다른 사람의 건강에 헌신하고 있으며 30년 동안 미래를 보며 이 일을 진행했다. 그는 자신이 가진 에어로빅 기술과 정신을 이웃에게 온전히 전하기 위해 '냉정하게' 보이면서까지 강하게 훈련하며 몸을 만들어주는 청지기였다.

필자(박병기)는 염마에 원장에 대한 서운한 감정이 지정의에서 '정'이 강하게 발동했기 때문이라 판단했다. 필자(박병기)가 26년 만에 다시 고국으로 돌아와 마주한 한국인은 어떤 상황을 파악할 때 '정'을 중심으로 판단하는 경향이 강함을 느꼈다. 그리고 많은 리더가 이러한 한국인의 경향성을 이용해 자신들이 원하는 방향으로 사람들을 이끌어 가는 모습 또한 자주 보게 되었다. 우리의 '감정'은 부정적인 것에 더 빨리 반응하도록 훈련되어 있고, 이러한 부정적인 감정을 외부로 표현하는 것도 굉장히 빠르다. 반면 긍정적인 감정은 어떻게 표현하는지도 잘 모른다. 대개는 쑥스러워하고 또 일부는 아부하는 것으로 비춰질까 봐 감정을 꼭꼭 숨겨둔다.

필자(박병기)는 감정이 '지'에서 출발해야 함을 학습자들에게 말하고 싶었다. 무엇을 어떻게 알았느냐에 따라 '정'이 결정 나기 때문이다. 정보가 틀리면 틀린 정보에 감정을 낭비하게 된다. 그래서

'지'가 매우 중요하다. 글이나 영상을 똑바로 알지 못하면 우리의 감정과 의지는 왜곡된다. 이 말은 우리의 전 인격체가 왜곡될 수 있다는 말이다.

필자(박병기)는 소감문을 통해 제대로 된 지정의 학습을 하려면 '지'가 제대로 되어야 한다고 학습자들에게 말했다. 그리고 제대로 된 '지'에서 출발해 제대로 된 '정'을 느끼고, 나아가 세상을 이롭게 하고 아름답게 할 수 있는 공동체를 위한 '의'가 실천되기를 바랐다. 마지막으로 필자는 염마에 원장에 대한 솔직한 생각과 BPSS 마이크로칼리지에 대한 생각도 밝혔다.

> 솔직히 말한다면 염마에 원장에 비하면 아직도 나는 원칙을 더 정확히 고수하지 못하는 편이다. 많이 봐주고 많이 용납했다. 그에게서 많은 것을 배울 수 있었다. 나는 인기 프로그램을 만들기 위해 마이크로칼리지를 하는 게 아니라 BPSS를 심어주기 위해 이 프로젝트를 시작한 것이다. 그것을 다시 한번 되새겨본다.

소감문을 통해 학습자들의 인식에 변화가 일어났다. '정'이 먼저 발동하기보다 제대로 된 '지'를 먼저 가져야겠다는 인식들이 많아졌다. 또한, 염마에 원장의 리더십에 대해 필자(박병기)의 의견에 동의하며 서번트 리더십이 무조건 '예스맨'이 아니고 상황에 따라 강할 수도 유연할 수도 있음을 재인식했다. '의'를 통한 창의적인 다짐들도 많아졌다. 제대로 된 '지'를 쓰는 훈련을 하고자 과제 글을 정독과 다독을 통해 더 잘 이해하고 경청하겠다는 다짐부터 '정'에 먼저 반응했던 자신을 인지해 '나'를 제대로 알아가는 훈련을 하고자 미래 저널 쓰기를 충실히 하겠다는 다짐도 있었다. 이러한 다짐들은 고정관념이나 편견을 벗어나 독창적인 사고를 하도록 이끈다. 또한, 문제를 개념적 사고로 볼 수 있는 능력을 길러준다. 이는 서번트 리더의 구성요소 중 '개념화'를 훈련해 준다.

학습자들의 '정'과 '의'가 바뀌었다. 염마에 원장처럼 단호하지만 따뜻한 리더십을 긍정적으로 바라보는 시각의 변화도 생겼다. 잘못된 교육의 틀에서 '정'이 먼저 반응한 세대로 살았던 것을 아쉬워하기도 했다. 이에 다음 세대는 긍정적인 감정을 먼저 느끼고 반응하게 해주고자 선플 쓰기를 다짐하는 학부모 및 성인 학습자들도 많았다. 이러한 성인 학습자들의 다짐은 '설득'을 통해 서번트 리더의 구성요소 중 '이웃의 성장에 헌신하기'로 이어진 것이다.

필자(박병기)의 소감문은 학습자들에게 서번트 리더로 아름다운 생태계를 만들고자 사람들과 함께 일하도록 설득했다. 또한, 부정적인 감정을 긍정적인 감정으로 바꾸기 위해 지정의가 회복하기를 권면했다. 이러한 설득은 학습자들이 공동체 안에서의 헌신, 자신과 공동체의 발전과 향상, 그리고 성장을 도모하는 일에 자발적 참여를 이끌었다.

지정의 학습은 4차 산업혁명 시대의 시대를 선도할 인재 양성을 위해 서번트 리더를 훈련하는 교육이다. 글을 읽으며 교양을 쌓고, 글쓰기 실력이 향상되는 것에서 그치지 않는다. 시대를 읽고 해석하게 하며, 새 시대에 필요한 리더십으로 서번트 리더십을 제시하며 열 가지의 서번트 리더십의 구성 요소를 훈련한다. 각 요소의 훈련은 하나의 과제에 어떤 특별한 요소의 훈련이 제시되는 것이 아니다. 매일의 과제를 학습자가 자발적으로 인식하고(지), 느끼고(정), 이를 작은 실천(의)으로 다짐하는 과정에 유기적으로 연결된다. 그러기에 같은 과제라 할지라도 학습자마다 훈련되는 요소가 다르고 그 깊이와 넓이도 다르다. 중요한 건 학습자들이 지정의 학습을 통해 청소년이든 성인이든, 학부모이든 교육자이든 관계없이 자신이 처한 상황에서 자신의 수준에 맞게 각 요소를 훈련하고 있다는 것이다.

제4차 산업혁명 시대의 리더십, 곧 서번트 리더십을 훈련하고 싶은가. 지정의 학습을 적극적으로 추천한다. 특히 자신이 리더로서 자질이 부족하다고 여기거나, 앞에 나서 용기 내기가 두려운 사람이 있는가. 필자(김미영) 역시 남을 도우려는 서번트의 마음은 갖고 있었지만, 용기를 내어 실천하는 서번트 리더는 아니었다. 그러나 이 과정을 통해 자발적인 용기로 지정의 학습 FT의 역할을 감당하고 있으며 본 책을 쓰는 단계에까지 와 있다. 지정의 학습은 일반 리더십 프로그램과 다르다. 지정의 학습을 통해 '나'를 보게 되고, 시대의 변화와 방향을 알게 되며, '의'의 다짐을 하나씩 실천했을 뿐인데 이것이 리더십의 기초가 되며 이웃을 보고 큰 그림을 그리는 놀라운 변화를 이끈다. 글쓰기 과정인 줄 알았는데 어느새 서번트 리더로 성장해 가는 어메이징Amazing한 리더십 훈련의 장이 된다. 이 교육 안으로 당신을 초대한다. 그리고 새 시대의 리더로 세워질 당신을 기대한다.

제 5 절 지정의 학습과 9번째 지능

4차 산업혁명 시대는 '인공지능'의 시대라 말할 수 있다. 인공지능은 우리 삶의 여러 방면에 활용되며 상용화되어가고 있고, 그 기술력은 점점 더 발달해가고 있다. 인공지능을 바라보는 시각은 크게 두 가지다. 인공지능이 우리의 일자리를 대체하고 우리를 위협하는 존재로 부상함에 따라 두려워할 것인가 아니면 우리에게 이롭게 잘 활용할 것인가. 우리는 인공지능으로 인한 영향을 두려워할 것이 아니라 우리에게 이롭게 잘 활용해야 한다는 입장이다.

기술의 발달로 인공지능은 인간보다 훨씬 더 똑똑해지고 있다. 이에 많은 사람은 인공지능이 인간을 지배하는 세상이 도래할지도 모른다는 두려움을 느낀다. 또한, 인공지능의 영역은 사회 전 영역으로 확대하여 심지어 인간의 고유 영역이라 여겼던 창의성과 예술 분야에까지 융합되고 있다. 인공지능 앞에 우리의 존재가 점점 무력해짐을 느끼게 된다.

미래학자 레이 커즈와일은 2045년을 강한 인공지능이 탄생하는 특이점으로 보고 있다. 특이점Singularity이란 인공지능이 인간을 초월하는 지점을 의미하며 이 지점에 도달하면 신인류가 탄생할 가능성도 있다고 한다. 이때가 되면 기술 변화가 매우 빨라져 우리의 생활은 그 이전으로 되돌릴 수 없다.[57] 이 모든 변화의 중심에 인공지능이 있다.

그렇다면 우리 인간에게 희망은 없는 것인가. 그렇지 않다. 다행히도 많은 미래학자와 전문가들은 인공지능이 하지 못하는 것들이 우리 인간에게 있음으로 미래를 불안해할 필요가 없다고 말한다. 또한, 인간의 존엄성을 지키고 인류가 함께 공존하며 살아가기 위해 구성원들의 영성지능(9번째 지능)을 계발해야 한다고 강조한다. 또 어떤 학자는 인공지능 자체보다 인공지능을 개발하는 개발자와 그것을 악의적으로 이용하는 사람의 오만과 부주의함을 경고하기도 한다. 결국 인공지능과 함께 살아가는 사회의 미래는 사람 즉 우리의 선택에 달린 것이다.

인공지능을 인간에게 이롭게 활용하며 그 편리성을 누리며 살 좋은 방법은 없을까. 카이스트대 교수이면서 막스 플랑크 뇌과학 연구소 박사인 김대식은 인공지능이 지배하는 시대에는 인간이 인공지능에 "지구에 존재하는 것이 좋다."는 걸 알려주어야 한다고 말한다.[58] 필자(박병기)는 여기서 한발 더 나아가 생각했다. 인공지능을 설득하며 함께 살아가려면 인공지능에 인간은 인간만이 가진 고유성이 있음을 알려주고 그것을 인정하도록 하면 된다는 것이다. 인간이 가진 고유성은 뭘까. 필자(박병기)는 인간이 초월적인 존재와 연결되어 있다고 생각한다. 그리고 인간에게는 인공지능은 갖지 못한 양심과 내면세계가 존재하는데 이것을 인간의 고유성으로 보았다. 이러한 인간의 고유성을 계발한다면 인공지능을 설득할 수 있다.

이러한 필자(박병기)의 생각이 이 지정의 학습에 녹아있다. 지정의 학습은 바로 인공지능 시대에 인공지능을 컨트롤하면서 함께 살아가기 위한 방법을 배우는 학습이고, 그 방법은 9번째 지능을 높이는 것이다.

"9번째 지능이 뭐야?"라고 묻고 싶은가. 아홉 번째 지능은 앞서 언급한 인간만이 가진 고유한 지능이다. 하버드대학교 교육전문가인 하워드 가드너는 인공지능과 공존하며 세상을 넉넉하게 살아가기 위해서는 IQ와 EQ가 아닌 9번째 지능SQ을 계발하고 향상해야 한다고 말했다. 또한, 한국 지식인의 아이콘인 이어령 교수는 인공지능 위에 올라타기 위해 우리에게 필요한 것은 '인간지능'이라 말했다. 그가 말한 인간지능은 바로 사랑하고 행복을 추구하고 아픔을 함께 하는 마음을 포함한 9번째 지능을 의미한다.[59)]

인간에게는 IQ와 EQ가 있다. 그러나 IQ와 EQ만으로 인간의 잠재력을 설명하기는 어렵다. 다나 조하와 이얀 마샬은 인간의 궁극적 지능으로 SQSpiritual Intelligence를 제시했다. SQ란 "우리가 의미와 가치의 문제를 다루고 해결할 때 사용하는 지능, 우리의 행동과 삶을 풍부한 의미의 맥락에 자리매김할 수 있게 하는 지능"을 말한다. 이들은 인간이 신체와 정신, 마음뿐만 아니라 '영성'을 가진 존재라 제시한다. 또한, SQ를 활용한다면 우리 안에 있는 잠재력을 끌어낼 수 있고 상상력을 높여 창의적인 인간이 될 수 있으며 더 깊은 의미의 삶을 살도록 이끌어 준다.[60)]

SQ는 인간을 인간답게 하는 근본적인 지능으로 IQ와 EQ의 토대가 된다. IQ는 지적 영역, EQ는 감성적 영역에서 기능적으로 작용하는 지능이지만, SQ는 두뇌 전체를 사용하는 통합적 지능이자 내재한 개인의 잠재력을 끌어낼 수 있는 지능이다. 또한, '내가 왜 태어났을까?', '내가 왜 사는가?', '내가 왜 이 일을 하는가?'와 같이 인간의 존재, 삶, 행복 등에 대한 근원적이고 본질적인 가치를 추구하는 능력이다.[61] 이 SQ가 바로 아홉 번째 지능이다. 필자(박병기)는 아홉 번째 지능을 실존적 자아를 깨닫고 세상을 이롭게 하는 지능이라 정의했다.

단순한 '정의'만으로 9번째 지능이 무엇인지 잘 와 닿지 않는가. 하버드대 교육대학원 교수인 조세핀 김은 같은 재능을 가졌던 괴테와 괴벨스의 예를 통해 우리에게 이해하기 쉽게 설명해준다. 괴테와 괴벨스는 둘 다 다중지능 중 언어지능이 뛰어난 사람이었다. 괴테의 경우, 삶에서 겪은 상처와 아픔을 그의 언어 지능을 사용하여 문학 작품으로 승화시켰다. 반면 괴벨스는 그의 장애와 장애로 인한 사회적 편견과 고통을 히틀러를 추앙하는 연설을 하는 데 사용했다. 오늘날 괴테는 위대한 문학가로, 괴벨스는 희대의 살인마로 기록되었다. 둘 다 천재적인 언어 지능을 가졌지만, 그것을 삶에서 활용하는 방법은 달랐다. 한 사람은 세상을 이롭게, 다른 한 사람은 복수의 수단으로 사용했다. 이러한 극명한 차이가 바로 9번째 지능의 높고 낮음으로 결정된다.[62]

9번째 지능이 높은 사람은 삶에서 한걸음 물러나 인간의 존재론적 의미, 삶과 죽음, 축복과 비극 등 우주적이고 실제적인 사안에 대해 생각하며 인간 존재의 이유나 참 행복의 의미, 삶의 근원적인 가치를 추구한다. 이에 9번째 지능이 높은 사람은 스트레스가 많은 상황에서 자기 통제를 보인다. 또한, 인류에게 행동의 동기를 부여하고, 영감을 주며, 옳고 그름을 판단하고 분별하게 해준다. 그런가 하면 실존적인 문제를 인식하고 이를 해결할 수 있게 해주어 질서와 혼돈 사이에서 나침반이 되고 안내의 역할을 하기도 한다.

잠시 우리의 삶으로 돌아가 보자. 요즘 코로나 19로 외부의 생활이 많이 제한되고 사회적 거리 두기로 타인과 물리적 거리가 멀어진 상태에서 많은 사람이 '나는 누구인가'를 고민하고 있다. 매일 공적이든 사적이든, 원하든 원하지 않든, 우리는 모두 '나'와 연결된 공동체와 조직 안에서 바쁘게 살아왔다. 진정한 나를 알아가는 생각을 할 여유가 없었다. 매일 주어지는 일들을 처리하느라 그저 바빴다. 당장 주어진 문제를 처리해야 했다. 그 문제의 본질을 이해하고 삶의 근원적인 가치를 추구하기보단 빨리 주어진 문제를 해결해야 했다. 그런데 재택근무가 이루어지고, 외부 교육으로 맡겼던 아이들이 가정 안에 머물게 되었다. 지금까지 당연하다 여기며 살았던 것들이 코로나 19로 엄청나게 큰 변화로 바뀌어 가는 현상을 보게 되었다. 이제야 일상의 분주함에서 잠시 한걸음 물러나 '나는 누구인가'를 다시 질문하게 된 것이다. 내가 그동안 무엇을 위해 살았는가, 뭘 소중하게 여기고 살았는가, 왜 당연하다 여기고 살았을까, 이렇게 한순간에 변하는 것을 왜 그리 맹신하고 붙들고 살았을까 하고 말이다. 혹시 이 책을 읽고 있는 지금, 이 순간 당신도 그런 생각을 하는가. 당신의 9번째 지능이 작동하기 시작했으며 근본적이고 실존적인 문제에 접근하고 있는 것이다.

지금은 4차 산업혁명 시대가 진행 중이다. 4차 산업혁명 시대는 고도로 발전하는 기술로 인해 우리를 편리하게 해준다는 새롭고도 놀라운 기술들이 속속 개발되고 등장하고 있다. 이러한 기술들은 인공지능이라는 이름으로 통칭하는데 지금 우리는 약한 인공지능의 영향을 받고 있다. '00(아리, 시리, 지니, 빅스비 등. 필자는 이를 통칭으로 '아시지빅'으로 부른다)아'라고 부르면 음악을 틀어주고 날씨를 알려주는 등 필요한 정보를 알아서 말해준다. 인터넷 쇼핑 시 '고객님을 위한 추천'이라는 것으로 개인의 취향과 분위기, 성향 등 쇼핑 패턴을 분석하여 맞춤형 서비스를 제공한다. 챗봇 상담의 등장으로 기업이나 기관에 문의하는 경우 인공지능이 고객의 질문에 채팅으로 답을 해준다. 지금 언급한 것은 우리가 이미 일상에서 활용하고 있고 제공되고 있는 인공지능 기술이다.

이건 시작에 불과하다. 인공지능은 점점 발달하고 있다. GPT-3라고 들어보았는가. 일론 머스크와 샘 알트만이 공동 설립한 비영리 인공지능 연구 기업인 Open AI사가 개발해 2020년 6월에 공개한 자연어 처리모델이다. 자연어 처리모델이란 텍스트(인간의 언어)를 다루는 인공지능 모델로 인공지능이 소설을 쓰거나 뉴스 기사를 쓸 수 있는 기능이다. GPT-3라는 말에서 알 수 있듯 이전에 GPT-1, GPT-2가 이미 개발되어 상용화되고 있었다. 이보다 더 성능이 뛰어나고 획기적인 기술로 GPT-3가 2020년에 공개되었으며 GPT-4가 이미 개발에 착수했다. GPT-3는 텍스트 데이터 셋으로 학습을 진행하였는데 무려 3,000억 개의 단어를 이용하였다. GPT-2보다 약 100배가 더 크고 복잡한 규모의 인공지능이 개발되었다고 한다. 실제 GPT-3로 논문을 쓴 것에 대해 인공지능이 쓴 것인지 아니면 사람이 쓴 것인지 판단하는 실험에서 48%가 사람이 쓴 것으로 착각했다. 심지어 어떤 글은 88%가 사람이 쓴 글이라고 판단할 정도로 인공지능에 의해 잘 쓰인 글이 완성된다.[63)]

이뿐만이 아니다. GPT-3는 음식 포장지에 있는 성분표를 휴대폰으로 찍기만 하면 성분을 평가한다. 인공지능은 텍스트를 조합하여 소설이나 에세이, 뉴스 기사를 작성할 수도 있고, 동시통역이 가능한 수준까지 이르렀다. 또한, 한국어로 시를 번역하고, 요구사항을 입력하면 웹사이트 개발을 할 정도로 인간이 하던 일의 상당 부분을 인공지능이 더 빠르고 정교하고 완성도 높게 처리하고 있다.[64)]

우리는 시대를 읽어야 한다. 지금 시대가 어떻게 흘러가고 있고 미래는 어떻게 진행될지 예측하며 그에 따른 준비를 해야 한다. 그냥 흘러가는 대로 지내다 보면 이번 코로나 19와 같은 유례없는 큰 변화의 물결에 휩싸여 살길을 찾아 허우적댈지도 모른다. 그러나 그때는 이미 늦다.

지정의 학습은 바로 예측 불가능한 미래 시대에 우리 아이들이 평정심을 유지하고 유연하게 대처하도록 돕는다. 9번째 지능의 계발을 통해 문제의 본질을 파악하게 만들고, 문제를 더 넓고 깊게 보도록 이끌어준다. 지금 당장의 문제를 해결하느라 아등바등하는 것이 아니라 미래 관점으로 삶의 의미와 본질을 연결하여 문제를 바라보게 한다. 또한, 자신 안의 잠재력을 끌어내어 문제를 기존 틀에서 해결하는 것이 아니라 창의적이고 융합적인 사고로 해결하도록 돕는다.

코로나 19가 경제 위기를 가져왔고 많은 기업과 자영업자들이 큰 어려움을 겪고 있으며 문을 닫는 곳도 늘어간다. 이들은 코로나 19가 아니었다면 이런 고통은 없었을 것이라고 말할지도 모른다. 그러나 아니다. 많은 전문가와 미래학자들은 이미 이러한 경제 위기를 예측했고 분석했으며 경고했다. 그들은 단지 코로나 19가

촉매제 역할을 했을 뿐 이미 예견된 위기와 변화라고 언급한다.[65) 누군가는 그 흐름을 읽고 그 예측에 예의주시하며 자신의 사업에 새로운 변화를 시도했다. 그러나 누군가는 그 예측을 알지 못했거나 알더라도 아주 먼 미래의 얘기로 넘겼을지도 모른다. 그리고 그 결과를 우리는 지금 직면하고 있다.

이렇게 4차 산업혁명 시대는 점점 우리가 예측할 수 없는 사회 현상들을 야기한다. 앞으로 코로나 19와 같은 전염병은 또 발생될 것이고 지금과 같은 전 세계적 대혼란 역시 반복할 것이다. 그때 우리는 또다시 인간의 무력함과 존재의 당위성을 찾아가며 질문하게 될 것이다. 이를 통해 볼 때 자신에게 던지는 '나는 누구인가'의 질문은 단순히 지금 상황의 우울함에서 기인한 나만의 문제이자 질문이 아니다. 그러니까 지금 '나는 누구인가'의 질문은 단순히 지금 상황의 우울함에서 기인한 나만의 문제이자 질문이 아니라 급변하는 시대, 인간성 상실과 존재의 위기를 경험하는 시기에 누구나 해야만 하는 질문이다. 그런 면에서 지금 당신이 '나는 누구인가?', '지금까지 나는 무엇을 위해 살아왔는가?', '나는 앞으로 어떻게 살아가야 하는가'와 같은 근본적이고 본질적인 질문을 하고 있다면 그건 잘못된 것이 아니다.

지정의 학습은 바로 여기에서 시작되었다.

인간성의 회복. 인간다움의 회복.

지정의 학습은 '나다움'을 찾아가며 9번째 지능을 향상하는 교육이다.

다시 한번 강조하겠다. 필자(박병기)는 9번째 지능을 인공지능과 구별되는 인간만이 가진 고유한 지능으로 받아들였다. 또한, 이어령 교수의 인간지능에 대한 생각을 바탕으로 하고, 김대식 박사의 견해에 동의하며 인공지능을 설득할 방법을 제시하려고 한다. 우리는 인공지능에게 인간은 초월적인 존재와 연결되어 있고, 양심이라는 게 있고 사랑, 기쁨, 자비, 착함, 오래 참음, 온유라는 내면세계가 있는 존재임을 알려줘야 한다. 나아가 인공지능이 그것을 인정할 정도여야 한다. 이것이 필자(박병기)의 생각이다. 인공지능은 사람이 만들었고 그에 데이터를 입력해서 딥러닝이 일어나게 하는 방식이다. 그렇다면 어떤 데이터를 넣어주느냐가 관건이다. 필자(박병기)는 9번째 지능이 높은 사람들이 인류를 이롭게 하는 목적으로 데이터를 넣어주고, 인공지능을 개발하는 것이 우선되어야 한다고 생각한다. 이러한 일을 하기 위해 미래 인재는 바로 9번째 지능이 높은 자여야 한다. 미래를 살아가는 모두가 높은 아홉 번째 지능으로 인공지능을 바라보고, 인공지능의 혜택과 해악에 대한 담론형성에 힘을 모아야 한다. 나아가 분별력을 가지고 인공지능에 의한 정보나 편리를 주도적으로 선별해야 한다. 이 모든 것은 아홉 번째 지능이 높을 때 가능하다.

9번째 지능은 6개의 구성 요소로 이루어진다. 실존, 초월, 의미, 관계, 내면, 의식지능이다. 지정의 학습에는 이 구성요소들이 자연스럽게 계발되어 진다. 각 구성요소는 다음과 같다. 실존지능은 "개인의 자아와 다른 존재 혹은 형이상학적 문제 등을 깊이 있게 분석하고 통찰하는 정신적 능력"이고, 초월지능은 "일상의 한계를 넘는 초월적 시각 및 초월적 존재를 자각하는 정신적 능력"이다. 의미지능은 "개인의 가치와 목적, 삶의 이유를 알게 하고 인식하는 정신적 능력"이고, 관계지능은 "자기와 타인 및 초월적 힘이나 존재와의 조화로운 연결 및 관계를 통찰하는 정신적 능력"이다. 또한, 내면 지능은 "외적 상황에 상관없이 자아의 내면에 존재하는 삶의 본질을 이루는 자원을 활용하는 정신적 능력"이고, 의식 지능은 "자아의 내면, 외적 상황을 자각하고 고차원적 상태를 인식하는 정신적 능력"이다.[66]

자, 이제 지정의 학습 안에 어떻게 아홉 번째 지능을 훈련하는지를 살펴보자. 우리는 9번째 지능을 학습으로 가르치지 않는다. 이번 과제는 아홉 번째 지능을 배우기 위한 것이라고 제시하지도 않는다. 매일의 과제가 어떤 특정 교육만을 위한 목적으로 제시되지 않기 때문이다. 교육의 모든 요소 안에 9번째 지능을 키우기 위한 기반이 조성되어 있고, 학습자들은 매일의 과제를 하는 과정에서 아홉 번째 지능을 자연스럽게 향상해 나가게 된다.

지정의 학습은 바로 9번째 지능을 향상할 수 있는 하나의 툴로서 존재한다. 앞서 언급된 지정의 학습의 학습 과정이 기억나는가. 여러 앱을 이용하여 철자 검사, 영어로 번역, 영어 문법 검사가 이루어진다. 이 모든 것이 복잡하고 이런 것을 왜 하는지 의문이 들 것이다. 필자(박병기)는 학습자들이 최신 인공지능 앱들을 잘 활용하여 시대가 어떻게 변하고 있는지를 알기를 바란다. 또한, 시대의 흐름에 맞게 그 기능들을 건전하고 올바른 방법으로 잘 활용하기를 기대한다.

필자는 끊임없이 새로 나온 인공지능 기능들을 찾고 그것을 학습자에게 소개한다. 성우 AI인 타입캐스트Typecast나 아마존 폴리Amazon Polly를 소개하고 학습자가 잘 작성한 내용을 골라 성우 AI가 읽어준 내용을 게시해준다. 학습자는 처음에는 '이런 인공지능 앱도 있구나!'하고 아는 것에서 필자가 게시해 준 성우 AI의 활용을 접하며 자신도 시도해보고자 하는 등 생각의 변화를 겪는다. 실제 학부모 학습자 중 지정의 학습에서 녹음 파일을 올리는 것에 부담을 느껴 지정의 학습을 포기하려던 학습자가 있었다. 이 학습자는 용기를 내어 음성 파일을 올리기 시작했고, 성우 AI 앱을 활용해 더 자연스럽게 녹음을 하게 된 사례도 있다.

지정의 학습에서는 영어로 녹음하기를 독려하며 외국어 학습을 돕는 TTSReader, 아마존 폴리, 빅뷰BIGVU 등을 소개하고 활용법을 영상으로 찍어 게시한 경우도 있다. 이 역시 학습자에게 자신이 쓴 지정의 글을 번역하는 것에서 한 단계 업그레이드하여 자신의 글을 영어로 읽고 녹음하는 수준으로 끌어올렸다. 성인 학습자의 경우 영어 울렁증이라 불릴 만큼 영어에 대해 거부감과 두려움을 느끼고 있었다. 그러나 이러한 자신의 문제를 깊이 있게 분석하고 통찰하여 개선해 나가려는 의지로 영어 녹음을 시작했다. 바로 9번째 지능의 구성요소 중 '실존지능'이 향상되는 동기가 되었다. 이후 다수의 성인 학습자들은 이 인공지능 프로그램의 도움으로 한글 녹음을 영어 녹음으로 바꾸어 게시하는 시도가 늘었다.

지정의 학습은 9번째 지능 향상을 위해 글을 선별하여 과제로 제시하기도 한다. 그러나 이 역시 아홉 번째 지능의 향상만을 위한 과제 제시가 아님을 밝혀둔다. 지정의 학습에서는 2020년 8월 17일부터 8월 22일까지 한 주간동안 구글에서 진행한 'The Anywhere School North America Session'을 매일 제시하며 영어 영상을 보면서 구글의 새로운 앱들과 새로운 시대의 준비를 위한 구글의 기술적 노력에 대해 학습하는 시간을 가졌다. 이 기간에 학습자들은 구글이 계속해서 선보이고 있는 새로운 기능들에 대해 알아가는 시간을 가지며 시대의 흐름을 읽었다. 또한, 새로운 기능들을 접해보고자 하는 시도와 새로운 변화에 발맞춰 나가고자 하는 용기도 얻었다. 그러나 기억해야 할 것은 이 과정이 기술을 익히라고 제시된 것이 아니라는 것이다. 단지 시대의 흐름과 변화를 인지하고 이러한 시대를 어떻게 대비해야 할지에 대한 사고의 전환을 유도하는 것이다. 학습자들은 이 과정을 통해 '나는 누구인가?', '미래에는 어떻게 살아야 하는가?'를 고민했다. 이것은 지금 세상에서 일어나는 현상과 상황에 대한 맥락적 이해를 높였고, 자신의 생각을 체계적으로 잘 정리하는 능력을 키우도록 도왔다. 이러한 과정 역시 아홉 번째 지능 중 '실존지능'을 향상해가는 과정이 된다.

그런가 하면 지정의 학습에서는새로운 앱들의 개발 소식에 대한 글이나 영상들도 제시한다. 앞서 언급한 GPT-3에 대한 신문 기사와 영상은 학습자

들에게 자연스럽게 고도로 발전된 인공지능을 어떻게 바라보아야 할지에 대한 고민을 불러일으켰다. 2020년 9월 2일 제시된 학습은 AI 타임스에서 쓴 신문 기사[67](관련 기사 위 QR코드)였다.

내용은 GPT-3의 개발과 그 기능에 대한 것이었다. 학습자들은 글을 통해 인공지능의 기술 발전에 신기해하고 놀라워했으며 이로 인해 더 풍요해질 미래를 기대하기도 했다. 반면 계속되는 기술 발전으로 인공지능이 인간을 뛰어넘을지도 모른다는 두려운 마음을 표현하기도 했다. 그러나 이것이 전부가 아니었다. 한 청소년 학습자(정지원)는 "인공지능이 발전할수록 인간에 대한 이해가 확실히 필요할 것 같다."라며 인공지능에 대한 이해를 높이고 자신이 누구인지와 같은 정체성에 대해 깊이 생각하겠다는 다짐을 쓰기도 했다. 이 과정을 통해 인간의 가치에 대한 더 깊고 넓은 차원으로 확장된 사고를 한 것이다. 9번째 지능의 구성요소 중 '의미지능'을 높여가는 과정이다.

2020년 9월 3일과 4일에는 뉴럴링크사에서 개발 중인 뇌 전자칩 기술에 관한 기사68)와 영상[AE]을 연이어 제시했다. 지정의 학습 내용에 대해 학습자들은 GPT-3을 접했을 때와 비슷하게 신기함과 놀라움의 감정을 느꼈다. 그러나 조금 다른 점이 보였다. 9월 2일 지정의 학습을 하고 네이버 밴드에 글을 게시하며, 타인의 글을 읽고 댓글을 다는 과정에서 어려운 문제의 본질을 파악하고 집중력

AE TPS NEWS. 2019. 07. 23. [과학|기술] 일론 머스크의 Neuralink 뇌를 인터넷에 무선 연결하는 첨단기술 설명합니다. https://youtu.be/KezI_Lqnj5Q

을 발휘하는 9번째 지능 중 '의식지능'의 향상을 보였다. 청소년 학습자들은 새로 알게 된 인공지능의 기술 발전에 신기하고 놀라운 감정을 느끼는 것에서 4차 산업혁명 시대가 생각보다 더 빨리 진행됨에 따른 준비를 해야 한다는 것으로 의식의 확장을 경험했다.

청소년 학습자들은 필자(박병기)가 말한 아름다운 온라인 생태계를 이루고자 온라인을 통한 소통에 관심을 두었다. 이는 9번째 지능 중 '관계지능'의 향상으로 이어졌다. 또한, 인공지능과 함께 살아가기 위한 인간다움을 더 갖추기 위해 '나는 누구인가'를 깊게 알아가겠다는 다짐들을 했다. 다음은 청소년 학습자들의 '의'의 다짐이다. 지정의 학습을 하는 초등학생에서 중학생까지의 청소년 학습자가 미래를 어떻게 준비하는지 엿볼 수 있는 아주 좋은 자료가 된다. 이 자료를 통해 청소년 학습자들이 9번째 지능 중 '내면지능', '관계지능', '실존지능', '의미지능', '의식 지능'이 향상되고 있음을 볼 수 있다. 인공지능의 빠른 발전을 부정적 감정으로 받아들이는 것이 아니라 평정심을 유지하며 긍정적인 부분을 찾으려 노력했고, 자신에게 주어진 상황에 더 즐겁게 성실히 임할 것을 다짐했다.

문정현(만 12세)

점점 발전은 빨라져 가고 있고, 그 발전을 두려워하는 사람은 많은 것 같다. 그런 사람들이 뒤처지지 않도록 나부터 나서서 도와야 할 것 같다. 그러므로 나부터 제대로 알고 실천을 할 것이다. 미래 저널을 매일 쓰고 지정의를 주5일 이상하면서 성장할 것이고, 소통 능력을 키우기 위해 밴드에 하루에 1번 이상은 들어와 소통할 것이다.

김주혜(만 13세)

빠르게 변화하는 세상 속에서 전자 생태계와 소통이 잘 이루어질 수 있도록 미래 저널에 열심히 댓글을 달고 지정의 학습에서도 다른 사람들의 지정의에 열심히 댓글을 달도록 하겠다.

김수겸(만 15세)

'뉴럴링크'를 양심적으로 사용하기 위해서 매일 미래 저널을 쓰면서 나의 서번트 리더십을 기르겠다.

양성규(만 12세)

앞으로는 생명윤리가 어긋난 기술과 기기들이 나올 것입니다. 저는 이렇게 생명윤리에 어긋난 기술과 기기들에 현혹되지 않기 위해 생명윤리에 대해 알아보고 우리 eBPSS 친구들과 공유하겠습니다. 생명윤리는 꼭 지켜져야 할 것입니다. 인간의 뇌와 컴퓨터가 연결된다? 저는 지금이야말로 영성 지능이 필요한 시대라고 생각합니다. 따라서 영성 지능을 키울 수 있게 도와주고 있는 eBPSS에서 하는 모든 교육을 감사히 받아들이고 성실히 참여하겠습니다.

유하경(만 11세)

이처럼 AI와 기술이 점점 발전하는 시대에 잘 적응 할 수 있도록 미래 저널을 매일 쓰고 지정의 학습을 주 6회 이상 할 것이다. 또한, 미래 저널 1000일 동안 밴드 방에서 댓글도 하루에 3개 이상 달 것이다.

송하준(만 12세)

미래에는 어떤 일이 생길지 모르니 빅픽처를 그려서 성공하기 위해서 eBPSS를 배우면서 미래 저널을 이용해서 나를 먼저 알아가는 시간을 가져야겠다.

김호겸(만 13세)
내가 살아갈 미래를 위해 인간만이 소유하고 있는 9번째 지능을 더 키워야겠다. 내가 지금 하는 것처럼 매일 꾸준히 미래 저널을 쓰며 밴드 생태계를 잘 만들어야겠다.

한동하(만 10세)
AI를 만드는 사람들에게도 인간지능이 꼭 필요한 것 같습니다. 나부터 인간지능을 갖기 위해 미래 저널에 댓글 2개 달기와 지정의 학습 5일 하기, 수업 집중해서 듣기를 꼭 실천하겠습니다.

문혜빈(만 11세)
앞으로 다가오는 4차 산업혁명 시대의 인공지능을 컨트롤하기 위해 eBPSS 마이크로칼리지를 잘 따라야겠다. 그러므로 요즘에 성실하지 못한 댓글 달기부터 시작해야겠다.

정하진(만 12세)
기술은 더 발전하고 있는데 사람은 점점 기계에 의존하려고 하니 나는 영성 지능을 기르고 인공지능에 지지 않도록 미래 저널과 지정의를 열심히 쓰겠다.

9번째 지능은 우리가 문제를 이성적으로 해결하고IQ, 그 문제에 대한 감정을 느끼는EQ 것을 넘어 한 차원 더 높은 근본적이고 긍정적인 방향으로 문제를 해결하도록 이끌어준다. 청소년 학습자들은 신문 기사를 통해 인공지능의 기술이 우리의 예상보다 더 빠르고 혁신적으로 이루어지고 있음을 인지했다(지). 예상보다 빠른 기술 발전에 신기해하면서도 놀라워했고, 인공지능을 활용해 더 풍요롭게 살아갈 미래에 대해 기대했다(정). 그리고 인공지능과 더불어 살아갈 미래를 위해 우리가 해야 할 보다 근본적이고 긍정적인 실천을 다짐했다(의).

이러한 근본적이고 긍정적인 실천을 생각하는 것 자체가 9번째 지능이 계발되는 과정이다. 자신 안의 잠재력을 끌어내고, 상상력을 높여 창의적인 사고를 하며, 지금보다 더 깊은 의미의 삶을 살도록 이끌어주는 기회가 된다. 바로 9번째 지능이 자연스럽게 향상되는 것이다. 지금 외부의 교육들은 기술 발전에 발맞춰 인공지능의 기술을 익히고, 코딩을 배워야 한다고 가르친다. 그러나 지정의 학습은 그렇지 않다. 기술에 앞서 인공지능에 없는 인간지능 즉 9번째 지능을 높이는 교육을 한다.

지금까지 꽤 긴 지면을 할애하며 지정의 학습과 9번째 지능에 관한 내용을 언급했다. 기억할 것은 4차 산업혁명 시대는 강한 인공지능이 우리 사회 전 분야에 활용될 것이며, 우리보다 뛰어난 IQ와 EQ로 인공지능이 우리를 대체할지도 모른다는 것이다. 그러나 우리에게는 인공지능에 없는 9번째 지능이 있다. 이것을 잘 계발하고 향상한다면 우리는 인공지능을 인류에게 이로운 쪽으로 잘 활용할 수 있다. 우선은 인공지능 개발자가 9번째 지능이 높아져서 인류를 이롭게 하기 위한 목적으로 인공지능을 개발하며, 건전한 데이터와 텍스트를 인공지능에 제공함으로 바르게 활용할 수 있다. 또한, 인공지능을 사용하는 사용자로서 우리 각자도 가짜와 진짜를 구분하고, 올바른 활용에 동의하며, 인공지능을 통한 생명 존중, 인간 존중을 지켜갈 목소리를 낼 수 있다. 나아가 윤리적인 고민과 토론에 의한 담론형성을 통해 더욱더 올바른 인공지능 세상을 이끌어 갈 수 있을 것이다.

TV 광고가 생각난다. 보일러 광고인데 친환경 보일러를 만드는 자신의 아빠를 광고 속 아이는 지구를 구하는 정의의 용사로 바라본다. 지금 나의 심정이 바로 이 마음이다. 우리의 아이들이 지정의 학습을 통해 9번째 지능이 계발되고 향상된다면 그 아이들 한 명, 한 명이 바로 지구를 인공지능의 위협으로부터 구하는 미래의 용사가 되며, 그 시대를 선도할 리더가 될 것이다. 가슴 뛰며 설레는 이 역사의 현장으로 당신과 당신의 자녀를 초대한다.

제 6 절 지정의 학습과 큰 그림 보기

강연과 멘토링, 코칭을 통해 많은 사람에게 인생의 큰 방향을 제시하는「빅 픽처를 그려라」의 저자 전옥표에 따르면 목표를 성취한 사람, 현재를 행복하게 사는 사람들은 모두 자신만의 '큰 그림'이 있었다고 한다. 그가 말하는 큰 그림Big Picture은 다음과 같다.[69)]

1. '나는 왜 존재하는가?'에 대한 해답. 자신이 태어난 원래의 목적에 맞게 세상을 사는 것
2. '이 일의 본질이 무엇인가?'에 대한 해답. 진행 중인 프로젝트를 실현하려는 분명한 이유
3. 특정한 시기마다 도달해야 할 목표의 집합이 아니라 인생의 불규칙한 전환점들을 이어주는 전체 맥락. 개인 혹은 기업이 그린 궤적을 설명해 주는 근원적인 이유

그는 큰 그림Big Picture을 스몰 픽처Small Picture와 비교해 언급하고 있다. 그가 말하는 스몰 픽처는 아래와 같다.[70]

1. 인생의 순간순간에 결정하는 작은 목표들
2. 물질적 욕망을 채우기 위해 자신의 존재 이유를 배반하는 것
3. 자신의 빅 픽처가 아닌 타인의 빅 픽처를 위한 도구가 되는 것

전옥표의 글을 토대로 본다면 우리는 큰 그림을 그리며 살아가는 사람과 스몰 픽처로 다른 사람의 큰 그림을 위한 도구로 살아가는 사람으로 나눠볼 수 있다. 당신은 지금 어떤 인생을 살고 있는가. 자신만의 큰 그림을 그리고 있는가 아니면 누군가의 스몰 픽처로 살아가고 있는가.

사실 이 대목에서 필자(김미영)는 인생을 다시 돌아보게 되었다. 그리고 나는 어떤 사람인가를 심각하게 고민했다. 치열하게 열심히 살아왔다. 때론 성취감도 있었고, 더 나은 사회를 위해 이바지

한다는 자부심도 있었다. 큰 욕심 없이 일상을 누리며 주어진 일에 최선을 다하며 살면 되는 거 아닌가 하는 마음으로 말이다. 그런데 나의 이 열심과 치열한 삶이 누군가의 큰 그림을 위한 스몰 픽처로 전락한 것이다. 처음엔 화도 났다. 누가 나의 인생을 이렇게 양분해서 결정할 수 있단 말인가. 거부했다. 나는 아니라고. 나도 내 인생이 있고 가치 있는 인생을 살았다고.

나의 인생에 대해 주절주절 내뱉는 말속에서 하나 깨달은 것이 있다. 나 자신도 "나는 나의 큰 그림을 그리고 그것을 이루려고 정말 열심히 살았어."라는 말을 하지 않고 있다는 것이다.

내겐 큰 그림이 있었다. 그리고 그것을 위해 달렸다. 그런데 한 발 떨어져 생각해보니 누군가가 그려놓은 큰 그림에서 스몰 픽처로 살아왔음을 인정하게 되었다. 안타깝게도 큰 그림을 그린 것이 아니었다. 큰 그림을 그렸다고 착각한 것이다.

그렇다면 우리는 항상 어떤 공동체나 사회에서 큰 그림Big Picture만을 그리며 존재해야 하는 걸까. 직장인으로 살아가려면 스몰 픽처Small Picture의 삶을 살아갈 수밖에 없지 않냐고 할지도 모른다. 맞다. 우리는 각자 몸담은 공동체가 표방하는 큰 그림에 따라 살아간다. 직장인이라면 누구나 그럴 것이다. 그러나 공동체의 큰 그림을 동의하고 따라가되 나만의 큰 그림은 존재해야 한다. 이것이 우리의 핵심이다. 그래서 질문해본다. 당신은 인생의 큰 그림이 있으며 그것을 위해 날마다 살아가는가. 지금 하는 일들이 자신의 큰 그림을 이루는 도구인가 아니면 내가 도구인가.

아직 동의가 안 되는가. 대기업을 다니는 30대 초반 직장인이 있다고 치자. 그는 대학 졸업 후 열심히 공부해서 입사했다. 회사의 미션과 비전을 알고 그것을 이루며 자신에게 주어진 업무에 최선을 다해 일한다. 질문해 보겠다. 이 사람은 큰 그림Big Picture을 그리는 자인가 아니면 스몰 픽처Small Picture를 그리는 자인가. 언뜻 봐서는 스몰 픽처를 그리는 자로 보인다. 그러나 이 답은 이 사람이 회사에 다니는 이유가 무엇이냐에 따라 결정된다. 만약 이 사람의 꿈이 따로 있다고 치자. 30대 중반까지 열심히 회사에 다니며 돈을 모아서 자신이 하고 싶은 사업을 하는 것이다. 그렇다면 그에게 지금 '이 회사에 다니는 이유'는 자신이 하고 싶은 일을 하기 위한 돈을 버는 수단에 불과하다. 그렇다고 이 사람이 불성실하다는 것은 아니다. 직장인으로서 자신이 속한 공동체에 최선을 다하되 자신만의 꿈, 비전, 이루고자 하는 목표가 있다는 것이다. 이제 대답해 볼 수 있는가. 맞다. 이 사람은 큰 그림을 그리는 사람이다.

전옥표에 따르면 큰 그림Big Picture은 자신을 깊이 들여다보고 인생을 좀 더 멀리 조망할 수 있고 더 많은 사람과 협력할 힘이다. 개인의 인생, 기업의 역사 속에서 실현해 나가야 하는 궁극적인 큰 방향성이며, '나'의 존재 이유를 찾는 것이다. 성공하는 사람들의 성공기를 들어보면 숱한 시행착오를 거쳤지만 끝내 성공했음을 본다. 실패하고 좌절해도 다시 일어나게 하는 힘. 그것이 바로 큰 그림Big Picture이다.[71)]

동기부여 강연가이자 성공학 메신저로 활동하고 있는 변성우 역시 전옥표와 같은 맥락으로 큰 그림을 설명한다. 그는 큰 그림이 미래에 대한 확신을 심어주고 성공한 미래를 향해 달려가게 해준다고 언급한다.

천재의 호르몬이라 불리는 '베타 엔도르핀'을 아는가. 무언가에 몰두할 때 이 호르몬이 분비된다. 이로 인해 뇌에서 알파파가 방출되는데 이것이 마치 사진을 찍듯 우리의 생각을 뇌 속에 포토그래픽 메모리로 활성화한다고 한다. 변성우는 이 베타 엔도르핀을 예를 들며 자신의 성공하는 모습을 계속 상상하고 그려봄으로 자신의 뇌 속에 사진처럼 형상화하는 과정이 큰 그림Big Picture을 그리는 것이라 설명했다. 더 나아가 지금 자신의 큰 그림을 그려 행동하지 않으면 누군가의 큰 그림을 완성하기 위한 삶을 살아야 한다고 말한다. 그러면서 자신의 꿈에 한번만이라도 기회를 주어 인생의 큰 그림을 그려보라 강권한다.[72)]

다시 질문해 보겠다. 당신은 큰 그림Big Picture을 그리며 살아가고 있는가. 당신에게 꿈은 진행 중인가. 당신은 당신의 자녀가 큰 그림을 그리며 살아가기를 원하는가 아니면 누군가의 스몰 픽처Small Picture로 살아가길 바라는가. 누구도 스몰 픽처로 살아가고 싶다고 말하는 사람은 없을 것이다. 특히 내 자녀가 말이다. 우리는 단지 몰랐다. 기성세대는 비록 몰랐지만 소확행을 즐기며 나름의 존재 이유를 찾아가며 행복하게 살았다고 말한다. 그러나 우리의 자녀 세대는 다르다. 앞서 언급했지만, 우리의 자녀는 인공지능과 함께 살아가야 한다. 인공지능에 대체되지 않으면서 자신이 정말 하고 싶은 일을 위한 큰 그림Big Picture을 그려 행복한 삶을 살도록 기성세대가 도와줘야 한다.

큰 그림Big Picture을 그리기만 하면 되는가. 그렇지 않다. 큰 그림을 그리는 것보다 훨씬 더 중요한 것이 있다. 바로 '왜'이다. 왜 그 일을 하고 싶은지, 왜 공부하는지, 왜 사는지가 중요하다.

요즘 아이들의 장래 희망은 '건물주'가 되는 것이다. 건물주가 큰 그림이 될 수 있는가. 될 수 있다. 아이가 정말 하고 싶은 일이면서, '소유'의 개념이 아닌 '존재와 가치'에 목표를 둔 것이라면 말이다. 여기서 중요한 것은 '왜 건물주가 되고 싶은가?'이다. 보통은 돈을 많이 벌기 때문이라 말한다. 이것이 건물주가 되고 싶은 이유라면 큰 그림이 아니라 스몰 픽처다. 물질적 욕망(소유)을 채우기 위함이 아닌 자신의 존재 이유(가치)를 드러낼 무언가를 찾아야 한다. 건물주가 됨을 통해 얻은 소득으로 할 수 있는 '공동체를 위한 가치 있는 일(가치)' 말이다. "그런 거 없는데요."라고 말한다면 스스로 스몰 픽처를 그리고 있음을 인정하는 것이다.

'건물주가 되어 돈을 많이 벌면 착한 건물주가 되고 싶다.'라는 아이는 어떨까. 요즘 코로나 19로 임대인들이 장사가 안되어 임대료를 지불할 형편이 못되자 임대료를 10~20% 깎아주는 착한 건물주가 등장했다. 어려움에 부닥친 임대인의 마음을 헤아리고 그들을 돕기 위한 선한 마음이 드러난 것이다. 만약 아이가 건물주가 되고 싶은 이유가 이처럼 건전한 세계관[AF]에서 비롯된 것이라

AF 사람들은 자신이 인식하든 못하든 자신만의 세계관이 있다. 그 세계관으로 세상을 이해하고 해석하고 받아들인다. 세계관은 내가 읽은 책, 내가 보는 영상, 내가 주로 대화하는 사람, 나의 가족에 의해 형성된다. 세상에는 다양한 세계관이 있는데 필자(박병기)는 수많은 세계관을 분석해본 결과 9번째 지능의 유무에 따라 정리할 수 있었다. 9번째 지능이 낮거나 없으면 시대를 보는 눈, 큰 그림, 미션, 비전 등이 9번째 지능이 높은 사람과 완전히 다르게 나온다. 이에 필자(박병기)는 건전한 세계관을 9번째 지능이 높은 세계관으로 정의한다.

면 그것은 큰 그림Big Picture을 그리는 것이다.

필자(박병기)는 시대와 컨텍스트(상황)를 연구하는 과정에서 큰 그림은 건전한 세계관을 갖는 것이라 본다. 나아가 필자는 제4차 산업혁명 시대를 건전한 세계관을 갖고 해석하며 인재를 세우는 것을 미션으로 삼았다. 이에 학습자들이 건전한 세계관으로 큰 그림을 그리는 역량을 높일 수 있도록 지정의 학습을 진행한다.

그렇다면 큰 그림Big Picture은 어떻게 그릴 수 있을까. 전옥표는 다음과 같이 말했다.[73]

> 빅픽처는 갖고 싶다고 바로 가질 수 있는 것도 아니고, 하루나 이틀 정도 골몰한다고 바로 얻어지는 것도 아니다. 빅픽처는 오랜 시간 반복되는 행동의 결과로 얻을 수 있는 자기 본연의 인생 모습이다. 빅픽처는 꿈만 꾼다고 해서 우주의 기운이 몰려와 이룰 수 있는 무언가가 아니다. 자신의 빅픽처에 다가가기 위해서는 실제적인 행동이 필요하다.

무슨 말인가. 큰 그림Big Picture을 그리려면 오랜 시간 실제적인 행동을 통해 기초 근육이 쌓아져야 한다는 것이다. 오늘 갑자기 무언가 머릿속에 그린 추상적인 빅 픽처를 아무런 노력과 준비 없이 현실에서 구체적인 성과로 나타낼 수 없다. 전옥표는 큰 그림Big Picture을 그리되 그것을 구체적으로 실현할 수 있도록 연결해주는 '다섯 가지 힘' 즉 관점, 목표, 관리, 창의, 소통을 소개했다.[74]

지정의 학습 안에 전옥표가 제시한 이 요소들이 들어 있다. 이다섯 가지 힘을 기초로 지정의 학습 안에서 어떻게 큰 그림을 그리는 역량을 높이는지 설명해보고자 한다.

1. 관점 : 자기 자신을 깊이 들여다보는 힘

지정의 학습은 리더십 교육이다. 필자(박병기)는 리더를 '나에 대해 깊이 알고, 이웃을 깊이 관찰해서 어떤 사람들인지 알아내고 그 결과로 타인他人을 위한 삶을 사는 자', '창의적이고 융합적인 사고를 하며 협력을 잘하고 좋은 인성人性을 가진 자로서 놓인 문제를 해결하며 세상을 이롭게 하는 자'라고 정의했다. 학습자들은 리더십의 기초가 '나에 대해 깊이 아는 것'에서 시작함을 깨닫고 지정의 학습에 임한다. 글이나 영상을 보고 내가 무엇을 깨닫고, 느끼고, 다짐했는지를 쓴다. 나를 깊이 알아가는 시간이다. 많은 사람이 글이나 영상을 보고도 자기 생각과 감정을 잘 표현하지 못한다. 앞서 유시민이 언급한 것처럼 생각과 감정을 글로 표현하지 않으면 자기 것이 되지 못한다. 이에 지정의 학습자들은 지정의 학습을 쓰는 그 자체로 자신을 알아가는 첫발을 내딛는 것이다.

또한, 다른 학습자의 지정의 글을 읽으며 자신과 다른 타인의 생각과 감정을 공유한다. 이를테면 '아, 나도 이걸 생각했는데'라던가 '나도 이런 감정을 느꼈는데'와 같은 것이다. 타인의 생각과 감정을 통해 자신이 미처 인지하지 못했거나 글로 표현하지 못한 '나'를 더 발견하게 된다.

특히, '정'을 기록하는 부분에서 교수자로부터 "'정'을 다시 해보세요."라는 피드백을 받는 경우가 있다. 이 경우 Redo를 통해 자신의 감정을 더 깊게 살펴보게 된다. 영화를 보고 나서 감정을 표현해 본 적이 있는가. 자극적인 경우는 격한 감정을 느낀다. 그러나 때론 '그냥 좋았어'라고 정확하고 구체적으로 그 감정을 표현하지 못할 때도 있다. 그리고 그렇게 넘어간다. 이것은 내 것이 아니다. 지정의 학습자들은 감정 단어를 사용한 '정'을 다시 쓰는 Redo의 과정을 통해 '아, 내가 이런 감정을 느꼈구나!' 혹은 '내가 이렇게 감정을 잘 표현하지 못하는구나!'와 같은 새로운 '나'를 알아간다.

그런가 하면 자신의 장점과 단점을 알아가며, 잘하는 것이 무엇인지를 깊이 생각한다. 2020년 8월 29일에 제시된 과제는 자기계발과 동기부여에 관련된 영상[75](QR코드로 보세요)을 보고 지정의 학습을 하는 것이었다. 영상은 엘런 스테인 주니어Alan Stein Jr.가 쓴 '승리하는 습관'의 내용을 소개하는 영상이다.

학습자들은 하고자 하는 일에 열정을 쏟지 않았던 모습, 기본에 충실하며 꾸준히 학습하지 못했던 모습, 멀리 바라보지 못하고 앞에 주어진 문제 해결에 급급했던 모습, 해야 할 일을 미뤘던 모습, 시작은 하지만 꾸준히 실천하지 못하며 포기했던 모습, 일상의 편안함을 추구하며 안주했던 모습 등을 떠올리며 자신의 단점을 발견하기도 했다.

자신이 정말 좋아하고 열정을 쏟을 수 있는 일이 무엇인가를 자신에게 질문하는 점검의 시간도 경험했다. 좋은 습관을 만들고자 날마다 즐겁게 살기를 다짐하는가 하면, 성공하는 삶을 위한 사소한 습관을 이어가겠다, 지금 하는 지정의 학습을 통해 기초 훈련을 하겠다는 것과 같이 성실성과 자발성을 다짐하기도 했다. 또다른 학습자는 자신의 장점을 알아가고자 리더십 관련 검사를 해보겠다는 다짐도 있었다.

2. 목표 : 그릴 수 있는 가장 큰 꿈을 꾸는 힘

필자(박병기)는 큰 그림Big Picture을 그리는 것을 꿈이나 비전을 갖게 하는 것이 아닌 건전한 세계관을 갖는 것에서부터 출발한다고 말한다. 나아가 건전한 세계관을 가지고 시대를 바라보게 한다. 앞서 언급한 리더의 정의처럼 '나를 깊이 알고 이웃을 깊이 관찰해서 어떤 사람들인지 알아내고 그 결과로 타인을 위한 삶을 사는 자'로 훈련하는 것이다. 이런 리더가 건전한 세계관을 바탕으로 성장한다면 반드시 자신이 정말 하고 싶은 일 즉 큰 그림Big Picture을 그릴 수 있다고 확신한다. 여기서 말하는 건전한 세계관이란 '나는 누구인지', '나는 어디에 있는지' 등과 같은 세계관적인 질문을 하고, 그 질문에 답하는 과정을 통해 나와 이웃, 세상을 돌아보며 깊고 분명한 자신만의 올바르고 견고한 세계관을 알아가는 것이다. 이는 본질, 의미, 실존에 관한 질문으로 앞서 언급한 9번째 지능이 있는 세계관을 의미한다. 큰 그림을 가지려면 '왜 사는지', '왜 공부하는지', '왜 그 일을 하는지' 등과 같은 질문에 답할 수 있어야 하며 이 답을 찾기 위해 시대 읽기가 병행되어야 한다.

이에 지정의 학습은 "너는 큰 그림Big Picture이 뭐니?", "너는 꿈이 뭐니?"라는 질문에 앞서 '나를 깊이 알아가는 시간', '타인을 깊이 이해하는 시간'을 훈련한다. '존재'와 '가치'에 목표를 둔 큰 그림을 그리고 이를 구체적으로 삶에서 실현해가는 단체나 개인을 과제를 통해 소개함으로써 자연스럽게 건전한 세계관을 정립하며 자신의 큰 그림을 그려갈 수 있도록 돕고 있다.

2020년 8월 20일의 지정의 학습은 'The Anywhere School North America Session 5'로 'CK-12'에 대해 소개하는 영상[76]이었다. CK-12는 "전 세계 모든 어린이가 양질의 교육을 받을 수 있도록 돕는 것"을 큰 그림으로 삼았다. CK-12는 수학과 과학을 무료로 가르치는 비영리 단체다. 본 영상은 세상의 모든 아이가 평등하게 교육을 받을 권리를 누리도록 공정성과 접근성을 높여 구체화해 가는 과정을 소개하고 있다. 학습자들은 이 영상을 통해 큰 그림을 그려가는 과정에 건전한 세계관이 왜 우선되어야 하는지, 선한 영향력을 미치는 삶을 사는 것이 얼마나 가치 있는 일인지를 새롭게 깨닫게 되었다. 전 세계 교육이 코로나 19로 인해 온라인 수업으로 전환되었다. 그러나 소외된 나라의 아이들은 온라인 접속조차 어렵고 비용과 접근성의 문제로 지속적인 교육을 받을 수 없었다. 청소년 학습자들은 이런 안타까운 현실을 알게 되었다. 또한, 어렵고 힘든 세상에 작은 빛처럼 도움의 손길이 필요한 곳을 위해 애쓰고 노력하는 단체가 있음을 새롭게 알아가며 가슴 따뜻한 세상을 경험하기도 했다.

대학원에서 공부하는 학습자들을 통해서는 더욱 구체적인 자신의 큰 그림Big Picture에 대해 고민하는 모습도 볼 수 있었다. 웨신대 학습자 심삼종은 "인류애를 생각하며 교육에 큰 노력을 기울이고 있는 비영리 단체들과 같이 나 또한 시대를 읽고 큰 그림을 그리는 일에 게을리하지 않도록 주어진 배움의 길에 최선을 다하겠다."는 '의'의 다짐을 했다. 색소포니스트로서의 정점의 삶을 살았던 학습자는 교육학을 다시 공부하면서 건전한 세계관을 정립하며 새롭게 큰 그림을 그려가고 있다.

3. 관리 : 현실과 꿈의 간극을 조절하는 힘

지정의 학습은 효율적인 시간 관리에 초점을 둔다. 시간 관리란 자신이 세운 큰 그림을 향해 우선순위에 따라 효율적으로 활용하는 것이다.[77] 큰 그림을 향해 시간과 에너지를 쏟는 것으로 자신의 큰 그림에 맞게 우선순위가 다시 세워져야 한다. 지정의 학습은 글/영상을 읽고, 보고 지정의를 쓰는 것에서 끝나는 것이 아니다. 이것은 자신이 작성한 '의' 즉 작은 실천을 삶에서 실천하는 것으로 확장된다. 필자(박병기)는 작은 실천을 검증 가능한 아주 작은 실천으로 매일의 삶 속에서 작은 시간을 쪼개 실천할 수 있는 일로 본다. 그러기에 '의'의 실천은 작성 후 그날 혹은 며칠 뒤에 이루어지는 것이 좋으나 꼭 삶에서 실천되기를 강조한다.

'의'의 실천은 학습자들의 시간 관리의 변화를 이끌었다. 자녀와 함께 지정의 학습에 참여한 성인 학습자 전미란은 '지'를 제대로 훈련하기 위한 '의' 실천으로 아이들과 함께 지정의 관련 자료를 뽑아 사선 치기로 읽으며 이 학습에 집중하려고 했다. 퇴근 후 아이들과 함께 하는 시간을 지정의 학습에 쏟은 것이다. 또한, 직장인으로 지정의 학습을 위해 평상시보다 더 일찍 일어나 출근 전 시간을 활용해 지정의 학습을 진행하였다. 또 다른 성인 학습자 송미희는 자신의 '의'의 실천리스트를 수첩에 목록으로 만들어 실천이 가능한 그때그때 일상 속 실천을 이어갔다.

'의' 실천 체크 표를 활용한 학습자도 있었다. 웨신대 대학원생 백성숙은 자신만의 체크 파일을 만들어 매일 매일의 삶을 체크했다. 다음다음 페이지에 있는 [그림 3]은 그가 작성한 체크 표의 일부분이다.

이뿐만이 아니다. 8월 7일은 '미래 경제는 수소 경제가 이끈다'는 신문 기사[78]를 읽고 지정의를 했다. 백성숙은 이를 통해 환경을 생각한 수소 차의 등장에 대해 새롭게 인지하게 되었고(지), 그동안 환경문제에 관심을 두지 못했던 자신을 반성했다(정). 이를 통해 '의'의 실천으로 일회용품 사용량을 줄이도록 노력하겠다(의)는 작은 실천을 다짐했다. [그림 2]는 그가 두 주간 동안 실천한 자기관리이다. 일회용 컵 사용을 줄이고 일회용 컵 대신 텀블러를 사용하고자 노력한 흔적이 보인다.

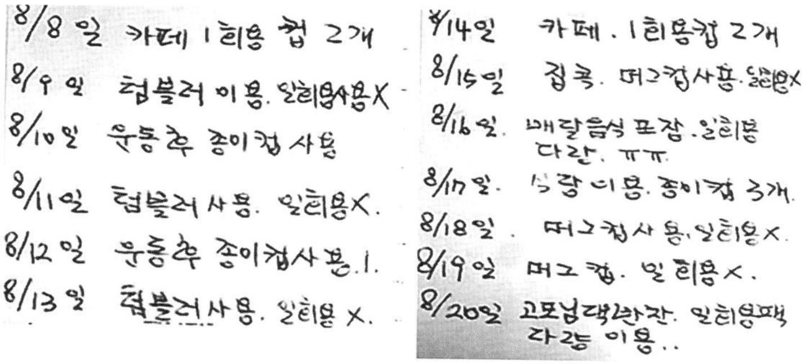

8/8일 카페 1회용 컵 2개
8/9일 텀블러 이용. 일회용사용X
8/10일 운동후 종이컵 사용
8/11일 텀블러사용. 일회용X.
8/12일 운동후 종이컵사용.1.
8/13일 텀블러사용. 일회용 X.
8/14일 카페. 1회용컵 2개
8/15일 집콕. 머그컵사용. 일회용X
8/16일. 배달음식 포장. 일회용 다량. ㅠㅠ
8/17일. 식당 이용. 종이컵 3개.
8/18일. 머그컵사용. 일회용X.
8/19일 머그컵. 일회용X.
8/20일 고모님댁1박2일. 일회용팩 다량 이용..

[그림 2] 웨신대 대학원생 백성숙의 일회용 컵 사용 체크

지정의 의의실천

날짜 /주제	의의 실천	실천내용	실행여부	비고
07/06 #마이크로칼리지#증강학교	-자성지겸예협 실천하기	-미래저널,지정의학습 실천	미래저널 댓글, 지정의 학습하기	매일 실천중
07/07 #지정의학습 목적	-독서 및 영상, 기사도 지정의로 메모습관갖기	-지정의 메모습관	습관 안됨	X
07/08 #지동생각#자성지겸예협	-자성지겸예협 실천하기	-조금씩 실천중		
07/09 #삼풍참사#생존자의 일갈	-사실에 대해 알려고 함. -타인의 이야기에 경청하기	-뉴스 시청	-인터넷 뉴스 탐독	
07/10 '노답책'편집자의 글	-미래 저널의 중요성 홍보	-미래저널나눔	지인 자녀에게 마스터키 나눔	
07/14 '노답책' 챕터 0	-미래저널과 지정의 학습 꾸준히 하기	-미래저널,지정의 매일 하기		매일 실천중
07/15 '노답책' 챕터 1	-마스터키와 제4차 산업혁명시대, 리더십 교육&교회 정독	-eBPSS책 정독	정독 완료	Re-do 예정
07/16 '노답책' 챕터 2	-아침명상 10분	-미래저널 작성전 명사	아침명상후 미래저널 오전 올리기 실천	
07/17 '노답책' 챕터 3	-미래저널 주간리포트 작성 -자신사랑하는 표현 적기	매주 일요일 주간 리포트 음성	주간리포트 음성 나눔	3주차 진행중
07/18 '노답책' 챕터 4	-미래저널 댓글 5명이상에게 달기	미래저널 댓글	5명이상에게 매일 댓글 실천	매일 실천중
07/19 '노답책' 챕터 5	-경청, 공감 등 파트너 링커십 10가지	서번트리더십 체크	매일 체크중	의의실천 나눔 1회
07/20 '노답책' 챕터 6	-선한영향력, 서번트리더십 체크	서번트 리더십 체크	매일 체크중	

[그림 3] 웨신대 대학원생 백성숙의 '의' 실천 리스트

청소년 학습자의 시간 관리 변화도 눈에 띄었다. 정지원은 2020년 7월 25일 '작은 습관'과 관련된 영상[79]을 보고 작성한 지정의에서 오전 11시까지 지정의 학습을 마칠 것을 다짐했다. 정지원은 그동안 지정의 학습을 일과를 마친 저녁이나 밤에 주로 하는 학습자였는데 지정의 학습에 우선순위를 두고 자신의 시간을 관리하게 되었다.

자신의 학습을 관리하는 성인 학습자도 있었다. 웨신대 대학원생 서혜성은 8월 1일 지정의 학습에 대한 소감문을 읽고 지정의 학습을 통해 회복(학습)과 협력(밴드 활동)에 균형을 갖고 임해야 한다는 것을 깨달았다(지). 이를 통해 지금 참여하고 있는 지정의 학습이 너무 좋고 개발자에게 감사하다는 마음을 느꼈으며(정), '의'의 다짐으로 오늘의 지정의 학습 내용을 정리해서 책상 앞에 붙여놓기를 다짐했다(의). [그림 4]는 학습자 서혜성이 '의'의 실천으로 학습 내용을 정리한 것이다.

의의 실천 : 오늘의 내용을 아래의 표로 정리해서 책상앞에 붙여놓았다.

	목표	지	정	의	체
교육계 (앤서니 후크마)	전인적인 인간	지적인 교육	감정, 과목에 대한 사랑	의지, 더배우고 싶은 욕구	몸
비즈니스 계	전인적인 리더	머리 리더십	가슴 리더십	배짱 리더십	
클라우드 슈밥	4차산업혁명 시대의 인재	상황맥락지능	정서지능	영감지능	신체지능
박병기 교수 지정의 학습	지정의가 회복되어 협력하는 새시대의 서퍼	알고 배우게 된 것, 인지한 내용, 강화된 분별력, 이해와 성찰, 견해개발	감성및 열정 터치,경험하게되는 감정, 희로애락,열정, 애정, 배려	지와 정 적용 꿈, 노력, 성실함, 실천, 행함의 결심, 확인가능한 실천!	자신과 주변의 건강과 행복을 구축하고 유지, 평정심 유지
	온라인 교육을 통한 지정의 회복 체험	온라인 플랫폼을 통해총체적 관점을 얻는 능력	창의성을 서로 격려하는 환경으로 이끄는 능력	다양한사람들이 탐구하여 얻어낸 것을 발전,공유	

[그림 4] 웨신대 대학원생 서혜성의 학습 내용 정리

4. 창의 : 생각의 크기를 확장하는 일

전옥표에 따르면 창의는 주어진 상황과 자신이 이미 가지고 있는 것 즉 경험, 배움, 습관 등의 결합을 통해 나타난다. 여기서 말하는 창의력은 발명가가 새로운 무언가를 만들어 내는 것과는 차이가 있다. 우리가 길러야 할 창의력은 주어진 상황 속에서 문제의 본질을 명확하게 파악해서 문제를 해결하는 것에 가깝다. 이것은 '새로운 관계를 경험하는 것'에서 길러진다. 또한, 기존의 방법으로는 살아남을 수 없다는 위기의식이 동기가 되기도 한다. 낯선 것과의 적극적 만남이 고정관념의 틀을 벗어나 세상을 창의적으로 보게 해준다. 창의성을 기르는 방법은 기존의 방법을 부정하며 '왜'라는 질문을 시작으로 문제의 '본질'을 향해가는 과정에 생겨난다.[80)]

지정의 학습은 시대를 읽는 것에서부터 시작했다. 주어진 우리의 상황은 제4차 산업혁명 시대이다. '이 시대의 교육은 어떻게 변화해야 할까'가 우리에게 던져진 질문이었다. 인공지능이 더 강해져 인간을 지배하는 세상이 온다면 '우리는 생존을 위해 무엇을 준비해야 할까'에 대한 위기의식이 동기가 되었다. 또한, 기존 교육에 대한 부정에서 시작했다. '왜' 지금의 교육은 '전인격적인 인간'을 길러내지 못할까. 지정의가 회복된 사람을 키우지 못할까. 왜 성숙한 민주시민 양성을 위한 교육이 이루어지지 못하고, 오히려 경쟁하고 순응하는 교육이 심화되어 갈까와 같은 기존 교육에 대한 질문에서 시작했다. 지금의 교육으로는 안 된다는 결론에 이르자 우리는 현 교육 문제에 대한 '본질'을 고민했다.

이러한 질문이 지정의 학습의 기반이 된다. 이에 지정의 학습의 과제는 타 교육처럼 세팅된 과제가 제시되지 않는다. 시대의 흐름을 읽어야 하기에 지정의 학습마다 새로운 과제가 제시될 것이다. 학습자들은 급변하는 시대의 흐름 속에서 주어진 문제를 어떻게 해결해 갈지를 자문하며 깊게 고민할 것이다. 해답은 지정의 과정에서 나를 깊이 알고, 타인을 깊이 아는 '제대로 알기'[AG]에서 시작한다.

AG 전옥표에 따르면 제대로 알기란 이기는데 반드시 필요한 요소가 뭔지 다시금 파악하는 것이다. 필자(박병기)는 새로운 시대를 제대로 알기위한 필수 요소로 '나를 알고 그를 알고 그들을 알고 세상을 아는 것'에서 출발해야 한다고 생각한다.

이것은 문제의 본질에 대한 질문으로 확장되어 자신의 경험, 배움, 습관, 기질 등과 결합해 자신만의 새로운 방법을 찾게 될 것이다.

지정의 학습의 학습자들은 자신만의 지정의를 작성하고 주어진 문제 상황을 파악한다. 시대를 읽으며 시대 속의 '나'를 발견하고, '이웃'에 대한 깊은 관심으로 눈을 돌린다. 그들은 코로나 19라는 우리의 문제 상황을 이겨내는 '나'만의 방법과 '이웃'을 위한 창의적 방법을 생각해냈다. 이것은 코로나 19를 통해 우리의 아픔이 무엇이고 우리가 돌아봐야 할 사람이 누구인가에 대한 본질적 질문에 대한 각자의 창의적 '의'의 다짐으로 확산하였다.

청소년 학습자들은 인공지능과 함께하는 미래 사회를 위해 9번째 지능을 높이고자 지정의 학습과 미래 저널 쓰기에 열심을 낼 것을 다짐하고 실천했다. 나아가 다른 학습자들의 글을 읽고 타인의 창의적 방법을 경청하고 공감하고 새로운 아이디어를 얻기도 했다.

성인 학습자들은 더 적극적인 실천을 이어갔다. 언택트 시대의 묘미를 살려 랜선 연락(카톡, 메시지, 전화, 택배 서비스 등)으로 이웃의 안녕을 돌봐주었다. '의'의 실천으로 수첩과 메모지, 읽고 있는 책, 미래 저널 등 다양한 자기만의 방법을 활용해 자신의 문제를 해결해 나갔다. 자신의 블로그와 인스타그램을 활용하기도 했고, 지인들에게 책 선물을 통해 마음을 함께 나누고자 했다. 구글에서 진행한 교육시리즈 관련 영상을 보고 진행한 지정의를 통해 새롭게 알게 된 앱을 활용해 다양한 시도를 해본 학습자도 있었다. 그런가 하면 기존의 고정관념을 깨고 새로운 시도를 한 경우도 있다. 그동안은 그냥 책 읽기를 진행했다면 메모하며 적기를 실천했다.

성경을 읽는 성인 학습자는 읽기에서 그쳤던 통독을 지정의로 정리해보는 것으로 실천했다. 읽어야 할 책을 가까이 두라는 지정의 글을 읽고 읽을 책을 추려 책상 위에 정리하는가 하면 더 깊은 배움으로 나아가고자 관련 자료를 찾아보는 자신만의 학습 방법을 찾기도 했다. 모두가 이전에는 미처 생각지 못했던 일들을 '어떻게 오늘의 지정의 내용을 삶으로 실천해볼까'라는 질문으로 시작해 자신만의 창의적 방법으로 문제를 해결해 간 사례들이다.

혹 기존에 자신이 생각했던 '창의'와 좀 다르다고 생각하는가. 창의는 자신만의 답을 찾아 긍정하는 것이다. 다음은 전옥표가 말하는 '창의'이다. 다음 글이 지정의 학습에 숨은 '창의'를 잘 이해하는 데 도움이 되길 바란다.

> 자기 성격에 맞고 주어진 환경에 가장 합당하다고 '생각되는' 행동을 하면 되는 것이다. 그게 창의적인 해결책에 이르는 길이다. 문제는 시공간을 벗어나서 해결되는 것이 아니다. 지금 당신이 처한 상황과 당신이 할 수 있는 모든 것을 고려해 가장 합당하다고 생각되는 선택을 하는 것, 그것이 바로 당신만이 해낼 수 있는 당신의 의견이다. 그 의견은 당신이 생각하는 가치와 자기 진정성을 담고 있기 때문에 당연히 당신이 '책임진다'는 것을 전제로 한다.[81]

5. 소통 : 더 많은 사람과 협력하는 일

소통의 기본은 상대방에게 호감을 느끼는 아주 사소한 것에서 시작한다. 따뜻한 말 한마디, 응원과 칭찬의 한마디, 이름을 기억하고 불러주는 것, 상대의 이야기를 경청하여 잘 들어주는 것 등이다. 이러한 사소한 것들을 통해 상대가 나를 '존중한다'는 느낌을 받을 때 비로소 소통은 시작된다. 소통의 기본은 상대에 대한 존중과 배려라 할 수 있다. 마음과 마음이 이어지는 진실한 소통, 진정한 관계 맺기가 바로 소통이다.[82)]

전옥표에 따르면 소통을 잘한다는 것은 스피치를 잘한다는 것과 구별된다. 소통에는 우리가 지금까지 읽은 책, 만나 본 사람, 경험 등이 '말'의 형태로 드러난다. 소통하면 말을 잘하면 된다는 생각 때문에 우리는 단순히 말 잘하는 기술을 배우려 한다. 아니다. 기술에 앞서 공부와 다양한 경험이 필요하다. 사람을 이해하는 방법을 배우거나 그것을 삶에서 어떻게 적용할지를 꾸준히 연습한다면 제대로 소통하고 진지한 대화를 할 수 있다. 전옥표는 말을 잘하고 싶어 하는 사람들을 향해 "스피치 학원이 아니라 신문 여러 개를 정독하고 자기 생각을 정리하는 편이 낫다."라고 말한다.[83)]

지정의 학습에는 이러한 소통이 자연스럽게 훈련된다. 앞서 [그림 1]에서 언급한 것처럼 지정의 학습의 목표는 '과제를 하러 온 게 아니라 증강 세계 생태계를 아름답게 만들기 위해 온 것'이다. 또한, 인간 본래의 아름다운 모습으로 회복되는 것이 목표다. 인간의 아름다운 모습은 서로를 아끼는 것이다. 학습자들은 지정의 학습 밴드를 통해 '함께'를 경험하며 '자성지겸예협'의 마음으로 서로 존중하고 배려하는 소통을 한다. 타인의 지정의 글에 집중(경청)하고 공감하며 답글 쓰기로 응원과 칭찬의 마음을 전한다. 새롭게 알게 된 통찰(지)로 소통을 경험한다. '정'에서 묻어나는 개인의 감정(정)에 공감하며 존중을 배워간다. 나와 다른 창의적 '의'의 실천에 박수를 보내기도 하고 타인의 '의'의 실천 나눔을 통해 마음과 마음이 이어지는 진실한 소통을 경험한다.

지금까지 지정의 학습과 큰 그림Big Picture에 대해서 살펴보았다. 필자(김미영)는 처음 큰 그림에 대해서 알게 되었을 때 '그동안 나는 무엇을 위해 살았는가'를 고민하게 되었다. 열심히 살았다. 남보다 더 바쁘게 치열하게 살았다. 나름대로 의미 있는 삶을 살았다고 생각했다. 그런데 그것이 스몰 픽처였으며, 다른 누군가가 그린 큰 그림의 한 조각이었다는 생각에 좌절감이 들었다. 늦었다고 생각하는 순간이 가장 빠르다고 하지 않는가. 필자(김미영)는 지정의 학습을 통해 제대로 된 큰 그림Big Picture을 그려가고 있다. '나를 깊이 아는 것'에서 시작하여 '타인을 깊이 이해하며, 타인을 위한 삶을 살아가는 것'으로 사고가 확장되었다. 이제야 한 걸음 뒤로 물러나 조금 멀리서 직면한 문제를 제대로 보게 되었다. 눈앞에 주어진 문제 해결에만 집중되어 아등바등 살았던 삶이 평정심을 가지고 더 넓게 더 깊게 문제의 본질을 바라보는 삶으로 변화되었다.

혹시 필자(김미영)의 이전 삶과 같은 삶을 살아가고 있는가. 자신만의 큰 그림을 제대로 그릴 수 있는 지정의 학습으로 당신을 초대한다. 지정의 학습이 당신을 남과 다른 자기만의 큰 그림을 그려갈 수 있도록 이끌어줄 것이다. 그것은 특별한 누구에게 해당하는 것이 아니다. 자신의 손에 움켜쥔 것을 내려놓고 자신의 담장 밖을 보기만 하면 된다.

"보통 사람은 자신의 이익, 기껏해야 자신이 속한
부서의 이익이라는 좁은 원을 그리고 그 속에 눌러앉아 버린다.
더 멀리 날아갈 수 있는데도 스스로를 가린 채
담장 밖을 보지 않는다.
그러나 생의 마지막 순간에 후회하고 싶지 않다면
좁은 원에서 벗어날 필요가 있다."
- 전옥표

제 7 절 지정의 학습과 시대의 인재

우리는 코로나 19로 인해 유례없는 변화를 강제적으로 경험하며 살아가고 있다. 등교 개학이 연기되고 온라인 개학이 진행되었다. 회사에 출근하던 직장인은 재택근무가 독려되었다. 종교계는 온라인으로 예배를 드리고 있고, 문화행사도 취소 및 연기되거나 온라인을 이용해 이루어지고 있다. 자유롭게 왕래하며 대면으로 이루어지던 대부분의 일이 비대면으로 전환되었다. 현실 세계는 증강 세계[AH]로 확장되었고 증강 세계에 대한 준비와 이해가 필요

AH 증강세계(Augmented world)는 필자(박병기)가 2018년에 쓴 「제4차 산업혁명 시대의 리더십, 교육&교회」에 기계공학과 출신인 신학자이자 목사인 박원희가 제시한 용어이다. 증강세계는 현실세계에 가상세계를 얹은 세계로 현재 우리가 경험하는 '증강된' 세상으로 증강현실과는 다르다. 증강현실은 현재 우리 삶에 진행되고 있는데 내비게이션, 카카오 택시, 줌 회의, 온라인 메신저 등이 그 좋은 예이다.

한 시대가 되었다. 우리에게 코로나 19는 변혁 그 자체다. 한번도 경험해 보지 못한 것을 여러 방면에서 겪고 있다. 바이러스니까 의학 분야의 일이라고 넘기기엔 그 영향력이 정치, 경제, 사회, 문화, 교육 등 전 분야에 걸쳐 미치고 있다.

코로나 19의 확산세가 줄어들면 다시 괜찮아지는 걸까. 다시 3월 이전의 삶으로 돌아갈 수 있을까. 많은 학자는 아니라고 말한다. 그들은 코로나 19를 이미 도래한 제4차 산업혁명의 촉매제로 보고 있다. 필자(박병기)는 코로나 19가 제4차 산업혁명이 가져올 충격적 미래에 비하면 1%도 미치지 못한다고 생각한다. 이에 코로나 19라는 당면한 문제 해결을 넘어 제4차 산업혁명 시대를 읽고 해석해야 한다. 나아가 제4차 산업혁명 시대를 살아갈 미래 인재를 교육해야 한다.

제4차 산업혁명 시대의 미래 인재에게 필요한 것은 무엇일까. '제4차 산업혁명 시대'라는 화두를 세상에 던진 클라우스 슈밥은 '인재주의'를 강조했다. 또한, 4차 산업혁명이 이전과는 완전히 다른 삶을 살게 할 '무서운 세상'이 될 것을 우려하면서 인공지능이 인간을 지배하는 것을 막아야 한다고 호소했다.

어떻게 인공지능의 지배를 막을 수 있을까. 슈밥은 4차 산업혁명이 인류에게 이롭게 되도록 하기 위해서는 이 혁명이 인간 중심이어야 하며 우리는 4가지 지능을 키워야 한다고 제시했다. 4가지 지능은 '협력'을 위한 기초 개념으로 상황 맥락지능, 정서 지능, 영감 지능, 신체 지능이다. 먼저 상황 맥락 지능은 인지한 것을 잘 이해하고 적용하는 능력이다. 새로운 동향을 예측하고 단편적인 사실을 통합해 합당한 결론을 도출할 수 있게 해주는 능력과 자발성을 뜻한다. 둘째, 정서 지능은 생각과 감정을 정리하고 결합해 타인과 협력관계를 맺는 능력이다. 리더가 더욱 혁신적으로 변화를 이끌 수 있는 능력을 갖추는 데 일조한다. 셋째, 영감 지능은 변화를 이끌고 공동의 이익을 꾀하기 위해 개인과 공동의 목적, 신뢰성, 여러 덕목 등을 활용하는 능력이다. 공유가 핵심이며 공유한 목적을 발전 시켜 나가기 위해서는 신뢰가 매우 중요하다. 넷째, 신체 지능은 개인에게 닥칠 변화와 구조적 변화에 필요한 에너지를 얻기 위해 자신과 주변의 건강과 행복을 구축하고 유지하는 능력이다. 개인의 건강을 유지하고, 큰 압박감 속에서도 평정심을 유지하는 것이다.[84)]

필자(박병기)는 미래 인재가 갖추어야 할 역량으로 지·정·의·체를 제시했다. 이것은 슈밥이 제시한 4가지 지능과의 관계로 설명된다. 지知는 상황 맥락지능, 정情은 정서 지능, 의意는 영감 지능, 체體는 신체 지능과 그 맥락이 같다. 앞서 언급한 대로 필자(박병기)는 전인적인 사람을 지정의가 잘 갖춰진 사람이라 생각한다. 4차 산업혁명 시대에 필요한 미래 인재는 바로 이러한 지·정·의·체를 고루 갖춘 개념적 리더십을 발휘하는 사람이다. [그림 5]는 4차 산업혁명 시대의 4가지 지능과 필자(박병기)의 생각을 연결하여 정리한 내용이다.

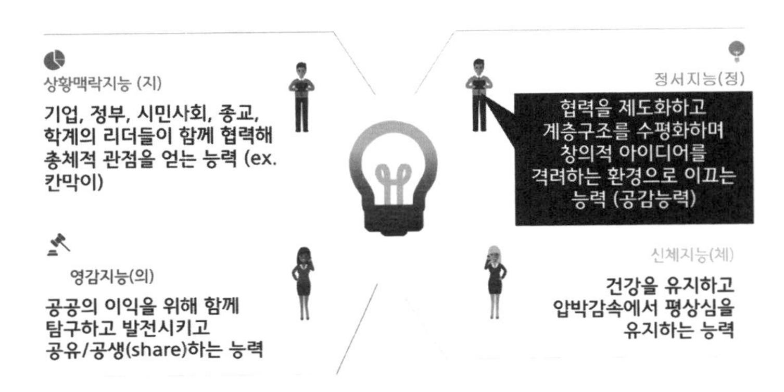

[그림 5] 제4차 산업혁명 시대의 4가지 지능(슈밥 외)

시대의 지성인이라 불리는 이어령 교수는 CBS와의 인터뷰에서 인간이 인공지능을 다스리기 위해서는 인간지능이 필요하다고 말했다. 인터뷰 내용을 그대로 옮겨보면 다음과 같다.[85]

> 이전에는 계단을 오를 때 체력이 중요했다. 엘리베이터 시대에는 체력이 중요하지 않고 모두가 동등하게 높은 곳에 올라간다. 인공지능 시대가 그런 것이다. 모두가 똑같다. 엘리베이터 안에서는 체력 면에서 누구나 동등하듯이 인공지능 시대에 '우리 아이가 똑똑하다'는 말은 더 이상 할 수 없게 되고 영성, 영력, 감성, 예술성을 더 중요시하게 된다. 직업도 이웃을 도와주고 위로해주는 직업이 주목을 받게 될 것이다.

또 다른 한국의 전문가들은 지금의 시대를 어떻게 보고 있을까. MIT 출신의 한양공대 교수인 김창경은 "지금은 문제를 푸는 것이 아닌 문제를 해결하는 사람이 각광을 받는 시대"라고 보았다. 그는 미래 인재에게 필요한 역량으로 창의적인 사고를 꼽았다. 카이스트 바이오 및 뇌 공학과 교수인 정재승은 "지금 필요한 것은 상상력이다."라며 나와 타인에 대한 이해를 높이고 뇌 전체를 사용하는 사고를 해야 한다고 말했다. 아주대 심리학과 교수인 김경일은 지금 필요한 것은 "유추와 은유를 통한 지혜"라고 했고, 가톨릭대 소아청소년과 교수인 김영훈은 "프로창의력"이 필요하다며 한 가지 분야의 프로 덕후가 되라고 했다.[86]

이들 전문가의 의견을 종합해보면 기존의 교육으로는 시대의 인재가 길러지지 않는다는 공통점이 발견된다. 미래 인재 양성을 위해 교육 과정을 개편하는 등의 혁신이 필요하다. 그렇다면 우리 공교육은 시대를 반영하며 미래 인재를 양성하기 위해 준비되고 있을까.

우리 정부는 '4차 산업혁명 대정부 권고안'[87]을 통해 미래 교육을 위한 혁신적 권고를 하고 있다. 이 중 첫 번째가 미래 핵심 역량 중심의 초중등교육으로서 전면적 변화를 실천하는 것이다. 미래 핵심 역량 중심의 초중등교육의 궁극적 목표는 4C의 역량이 높은 미래인재를 길러내는 것이다. 4C란 Critical Thinking 비판적 사고 능력, Creativity 창의성, Collaboration 협업 능력, Communication 의사소통 능력이다.

이수경 꿈찾기교육연구소장에 따르면 미래 인재에게 필요한 미래 핵심역량 4C는 지식을 암기하고 평가하는 주입식 교육으로는 절대 길러지지 않는다. '지식'을 암기하는 공부가 아닌 '역량'을 키우는 공부, 다양한 과목을 융합하는 공부가 필요하다. 미래 교육은 '특정 지식을 얼마나 많이 아는지'보다는 '어떻게 배워야 하는지', '배운 것을 어떻게 문제해결에 잘 활용할 것인지'가 더 중요하다.[88] 그렇다면 미래인재 핵심 역량 4C를 기를 방법은 무엇일까. 그는 질문하고 생각하고 말하게 하는 것을 통해 기를 수 있다고 말한다. 나아가 학습자가 중심이 되어 자기 생각을 말과 글로 표현하는 공부를 함으로써 4C 성장이 가능하다고 주장한다.[89]

EBS 미래 교육 플러스에 참석한 교육 분야 전문가들은 미래 역량을 기르는 수업으로 정답이 없는 수업을 늘려야 한다고 제언했다. 또한, 수업 방식 이외에도 학생들의 잠재력을 끝까지 믿는 교사의 확신이 중요하다고 덧붙였다.[90]

필자(박병기)는 미래 교육이란 학습자의 잠재된 것을 끌어내어 미래의 생활에 대응하고 준비시키는 것으로 생각한다. 이를 위해 학습자가 큰 그림을 가지고 9번째 지능과 서번트 리더십의 역량을 키워 4차 산업혁명이라는 시대의 큰 파도를 마음껏 즐기는 서퍼를 양성하는 것을 미션으로 삼았다. 이러한 미션을 이루어가고자 필자는 학습자에게 4차 산업혁명 시대는 무엇이고, 새로운 시대가 요구하는 리더는 어떤 사람이며, 문제를 어떻게 창의적으로 해결해야 할지를 학습자들과 함께 토론하며 담론을 형성해가려고 했다. 이러한 필자(박병기)의 생각이 지정의 학습 저변에 깔려있다. 이제 지정의 학습과 시대의 인재에 대한 실례를 살펴보자. 앞서 언급한 미래 핵심 역량인 4C를 중심으로 알아보자.

1. Critical Thinking 비판적 사고 능력

비판적 사고는 세상을 다르게 보는 것이다. 기존에 '틀리다'라고 생각했던 것을 '다르다'로 인식하고 타인의 의견을 존중하는 것에서 시작한다. 그러나 우리 교육에서 남들과 다른 의견은 존중받지 못하고 있으며, 비판적 사고는 '비난'이라는 부정적 인식으로 오해를 불러일으킨다. 많은 연구자는 비판적 사고 능력의 향상을 위해 학생 중심의 토론과 프로젝트 수업을 제안한다. 프로젝트 수업은 문제 발견, 계획 수립, 과제 수행, 결과 생성이라는 4단계로 진행되는데 이 과정에 학생들의 적극적인 참여가 중요하다.[91]

지정의 학습은 학생 중심의 토론과 프로젝트 수업이다. 학습자들은 매일 주어지는 과제를 프로젝트로 부여받는다. 과제로 제시된 글을 읽거나 영상을 보면서 깊이 있게 조직적으로 생각하게 된다. 이 과정에서 총체적 관점을 얻으며 기존에 알지 못했던 새로운 통찰이나 기존에 알았지만, 더 뚜렷하게 인식하게 된 부분을 발견하게 된다(지-상황 맥락지능). 새로운 통찰과 인식은 자신과 공동체의 문제를 발견토록 이끌고 그 문제에 대한 자기감정을 끌어낸다(정-정서 지능). 나아가 이 문제를 나의 삶에서 어떻게 해결해 갈 수 있을지를 계획하고 다짐한다(의-영감 지능). 매일 지정의 학습을 하고 네이버 밴드에 자기 지정의 글을 올리는 것은 일상으로 확장되어 '의'의 다짐을 실천한다. 이것이 결과 생성에 해당한다. 이렇게 지정의 학습은 하루하루가 프로젝트 수업이다. 이 프로젝트는 어떤 '의'를 도출하느냐에 따라 단회성이 되기도 하고 때론 지정의 학습

내내 또는 지정의 학습이 끝난 후까지 진행되기도 한다.

'나'에서 '공동체'로의 확장도 이루어진다. 자기 혼자 다짐한 '의'였지만 밴드를 통해 공유됨으로써 타인에게도 선한 영향력을 끼쳐 모두의 실천 프로젝트가 되기도 한다.

2020년 8월 6일 지정의 과제는 아프리카 가나에 'BPSS마이크로칼리지(가나)'가 2021년에 시작된다는 내용이었다. 콰미라는 웨신대 박사과정 학생은 필자(박병기)의 강의를 통해 만났다. 그는 BPSS의 모든 훈련에 순종과 헌신의 태도로 임했다. 박사 과정을 마치고 고향으로 돌아가면 그곳에 BPSS마이크로칼리지를 시작하겠단다. 열악한 가나의 교육현장에 BPSS를 통해 미래 교육을 시작하겠다는 결연한 마음이 느껴졌다. 이날의 과제는 바로 이러한 내용이 소개된 글이었다. 과제를 통해 소수의 학습자가 '의'의 다짐으로 거꾸로미디어연구소가 운영하는 '천원의 기적'에 콰미와 가나를 위한 기부를 하겠다고 적었다. 밴드에 지정의 글을 올리자 다른 학습자들에게 이 내용이 공유되었고 글을 읽은 다른 학습자로 하여금 동참하고자 하는 마음을 불러일으켰다. 이후 학습자들 사이에 '기부 프로젝트'로 번졌으며 실제 다수의 학습자가 '가나 기부'에 동참했다.

'나'에서 '가족'으로의 확장도 진행되었다. 지정의 학습자 강수연은 2020년 7월 25일 지정의 과제를 통해 작은 습관의 중요성을 깨달았다. 작은 습관의 깨달음에 감사한 마음을 느끼며 매일 성경필사를 1일 1절씩 자녀들과 하기로 다짐했다. 그의 '의'의 다짐은 '

성경필사 가족 프로젝트'가 되어 지정의 학습을 마친 후에도 꾸준히 실천되고 있다.

비판적 사고 형성에 도움이 되는 토론 역시 지정의 학습 안에 자연스럽게 스며들어가있다. 토론은 지정의 학습의 글을 밴드에 올리고 다른 사람의 지정의 글을 읽고 댓글을 쓰는 과정을 통해 이루어진다. 학습자가 모든 학습자에게 자신의 글을 공유하고 다른 학습자들은 그 글을 읽으면서 총체적 관점의 확장을 경험한다. 밴드 공간이 바로 토론의 장이 된다. 학습자들은 서로의 글을 통해 나와 관점이 다른 글을 읽고 자기 생각을 더 견고히 하거나, 수정 및 보완하기도 한다. 자신과 같은 생각을 지닌 학습자의 글에 동의의 마음을 표현하기도 하고, 다른 의견을 가진 학습자의 글을 깊이 읽고 비록 자신과 다른 의견일지라도 그 의견을 경청하고 존중하는 태도를 배우게 된다.

네이버 밴드에서 글로 이루어지는 토론은 밴드 그룹 콜과 줌 수업으로 확장되기도 한다. 지정의 학습 5가지 종류 중 'FT 지정의 학습'에는 그룹 콜 토론이 있다. 토론의 주제를 교수자가 제시해 주는 경우도 있고, 주어진 지정의 글을 읽고 학습자 간 토론 주제를 정하여 토론하기도 한다. 많은 학습자는 이 그룹 콜을 통해 협업 학습과 함께 더 깊은 공부를 경험했다고 말한다. 서로의 생각을 더 확장했으며 존중과 배려를 배우고 상대가 틀린 것이 아니라 다른 것이라는 타인의 의견에 대한 긍정적 경청도 이루어졌다.

증강 학교의 수업에서는 청소년 학습자 간 지정의 토론이 이루어진다. 교수자가 제시하는 영상을 보고 줌 Zoom **소회의실에서 토**

론한다. 영상을 통해 알게 된 것(지), 느낀 것(정), 실천할 것(의)을 나눈다. 그 후 다시 전체 회의실로 모여 소그룹별 나눔을 발표한다. 교수자는 다시 모든 학생이 이 영상을 통해 더 깊게 공부하도록 토론 주제를 제시한다. 이미 소그룹별 지정의 학습을 통해 영상에 대한 이해를 높인 상태이기에 학습자들의 토론 참여는 적극적이다. 또한, 자기 생각을 예의 바르고 분명하게 제시한다.

2. Creativity 창의성

IT 전문 저널리스트이자 디지털 인문학자인 구본권은 미래 교육에 관한 그의 저서에서 "사람은 누구나 창의성을 가지고 태어나 각자 고유한 경험과 생각을 만들어가는 존재"라고 언급한다. 그에 따르면 창의성은 다른 인간 능력처럼 교육과 학습을 통해 계발할 수 있는 역량이다. 성장 과정의 환경과 교육, 그리고 의도적인 훈련에 따라 그 계발 정도가 달라진다. 또한, 창의성은 연결로 발휘된다. 이전에 이해한 것을 두뇌 속에 저장했다가 다른 활동을 하면서 무의식중에 새로운 지식과 경험이 서로 연결될 때 생겨난다. 이러한 창의성의 출발점은 호기심이다. 자신이 이해하는 수준과 범위, 삶을 바라보는 깊이와 넓이에 따라 달라진다. 호기심을 갖고 시대를 읽고 해석한다면, 예측 불가능한 미래 사회는 염려와 불안 요소가 아닌 흥미로운 호기심 천국이 될 수 있다. 호기심은 문제의 본질에 대한 질문을 통해 생긴다. 호기심을 갖고 기존의 기억과 새로운 지식이나 경험이 연결되는 것이 바로 창의성이다. 창의성

향상을 위해서는 호기심을 불러일으킬 질문을 하는 힘을 길러주는 것이 중요하다.[92)]

지정의 학습은 매 과제가 각 학습자에게 주어지는 질문이다. 모두에게 공통으로 제시된 똑같이 풀어보는 질문이 아니다. 각자가 글이나 영상을 깊이 있게 읽거나 보면서 새로운 통찰이나 인식(지-상황 맥락지능)을 경험한다. 앞서 언급한 대로 새로운 통찰이나 인식은 문제를 보게 하고 감정을 끌어낸다(정-정서 지능). '왜'라는 질문과 함께 말이다. 이것이 호기심의 시작이 된다. 아는 만큼 보인다고 하지 않는가. 이전에는 그냥 평범한 것들이 새로운 앎을 통해 질문이 생긴다. '왜' 그런 것인지 궁금해진다. 질문에 답해보는 과정이 바로 '의'다(의-영감 지능). 이 '의'가 창의성을 길러주는 힘이다. 스스로 던진 질문에 자발성으로 그 해결을 찾고자 애쓴다. 새로운 통찰과 인식은 기존의 저장된 기억과 연결되어 새로운 무언가를 떠올리게 한다. 이 과정을 70일간 지속한다고 생각해보라. 이는 일주일에 한두 번 진행되는 여타 창의성 프로그램보다 훨씬 놀라운 향상을 보일 것이라 확신한다.

3. Collaboration 협업 능력 / Communication 의사소통 능력

미국 최고의 발달심리학자들은 21세기 역량으로 6C[AI]를 주장했

AI 6C는 미국의 발달심리학자들이 40년간의 연구 성과를 토대로 21세기 역량을 6가지로 소개한 것이다. 이들은 '아이의 잠재력은 어디서 나오는가?'에 대한 질문의 답으로 미래형 인재의 역량을 6가지를 소개했는데 6C로 표현되는 이 핵심역량은 협력(Collaboration), 의사소통(Communication), 콘텐츠(Content), 비판적 사고(Critical Thinking), 창의적 혁신

는데, 이중 협업과 의사소통 능력이 포함된다. 이들의 말을 빌리면 협업은 모든 기술과 역량을 세울 수 있는 기초가 되고, 여러 가지 결과들을 달성하는데 가장 핵심적인 능력이 된다. 사람은 혼자서는 살아갈 수 없는 사회적 존재이다. 이에 협업은 모든 인간 문화의 기반이 된다.

어떻게 하면 협업하는 법을 배울 수 있을까. 협업은 학습되는 것이고 가르쳐질 수 있다. 협업은 처음엔 혼자만의 목적을 가지고 혼자서(1단계) 무언가를 수행한다. 그러다 다른 목적을 가진 누군가와 나란히(2단계) 앉아서 하게 된다. 그러다 서로 말을 주고받는다(3단계). 이후 그들은 하나의 분명한 목적을 향해 힘을 합해 공동의 작업을 성공적으로 이루어낸다(4단계). 이것이 바로 협업이다. 이해가 어려운가. 발달 심리학자들은 아이가 벽돌쌓기를 하는 것을 예로 들어 설명한다. 아이가 혼자서 자신만의 벽돌쌓기를 한다(1단계), 그때 다른 아이가 옆에 나란히 앉아 그 아이만의 벽돌 쌓기를 한다(2단계). 두 아이는 각자 벽돌쌓기를 하다 서로 말을 주고받는다(3단계). 이후 두 아이는 서로 힘을 합해 하나의 목적을 가진 그들의 벽돌 쌓기를 성공적으로 진행한다(4단계). 이제 조금 이해가 되는가. 우리의 일상에서 많이 볼 수 있는 모습이다. 이런 협업이 성공적으로 이루어지기 위해서는 분명한 목표를 가지고 협력자들이 서로 신뢰해야 한다. 또한, 각자의 기여 부분을 소중히 여기고 결과에 대한 공동의 책임감이 있어야 한다. 서로에 대해 존중하는

(Creative Innovation), 자신감(Confidence)이다.

마음을 가지고 상대가 생각을 말할 수 있게 하는 자기 통제력이 있어야 한다. 자기 통제력은 타인과 함께 놀고 공동체의 일을 함께 할 수 있는 능력이다.[93)]

의사소통 능력은 이런 협업을 촉진하는 연료이면서, 협업을 기반으로 한다. 협업의 단계 중 서로 주고받기 단계로 이끌어주는 시작이 의사소통이다. 나아가 성공적인 협업을 위해 존중하는 마음으로 서로의 생각을 말할 수 있도록 해주는 자기 통제성이 바로 의사소통 능력에서 발휘된다. 의사소통에는 자신의 메시지를 상대가 이해하도록 전달하는 말하기 기술, 자신이 쓴 글을 타인이 이해할 수 있도록 정확하게 쓰는 능력, 다른 사람의 말을 귀담아듣는 경청의 기술이 필요하다.[94)]

4차 산업혁명 시대는 공유시대이다. 플랫폼을 통해 수많은 정보가 공유되며 진정한 나눔이 가능해졌다. 기존의 칸막이식 사고로는 새로운 시대를 살아갈 수 없다. 이것은 선택의 문제가 아니라 생존의 문제이다. 나 혼자 잘살면 된다는 식의 기성세대 교육은 변화해야 한다.

지정의 학습은 바로 미래 인재를 키우기 위한 미래 학습이다. 지정의 학습은 학습자가 교수자로부터 받은 공통의 과제를 혼자 씨름하며 정답을 찾아내어 교수자에게 제출하면 그만인 기존 교육을 배제한다. 계속 언급되었듯 지정의 학습자는 제시된 과제를 통해 스스로 깊고 넓게 연구한다. 그리고 새로운 통찰과 지식은 그동안 느끼지 못했던 자신과 사회에 대한 감정을 끌어올리고 '왜'라는 질문으로 문제를 보게 한다. 그리고 이 문제를 나의 삶에서 어떻게 해결해 나갈 것인지 자신만의 해답을 찾아낸다. 이것을 네이버 밴드를 통해 공유한다. 나아가 다른 학습자들이 공유한 지정의 글을 읽으며 또 새로운 통찰과 지식을 경험한다. 자신이 미처 깨닫지 못하고 느끼지 못했던 것을 경험하며 새로운 창의적 문제 해결을 찾아간다. 이것이 바로 협업이고 의사소통이다.

혹자는 서로 만나지 않고 말을 하지 않는데 무슨 협업이고 의사소통이냐고 말할지 모른다. 그러나 성공적인 협업이 무엇인지, 진정한 의사소통이 무엇인지를 생각해보라. 지정의 학습의 학습자들은 제시된 한 가지 이슈에 대해 혼자 해결점을 찾았다(1단계). 이것은 혼자 하는 것 같지만 같은 날 모든 학습자가 같은 이슈를 고민하는 것이기에 나란히(2단계)가 될 수 있다. 네이버 밴드를 통해 공유된 서로의 글은 우선은 영상녹화/음성녹음으로 자기 생각을 표현하는 자기 통제성으로 나아간다. 그리고 상대의 글과 영상녹화/음성녹음을 들으며 댓글 쓰기를 통해 서로 주고받는 자신과 타인과의 의사소통이 이루어진다(3단계). 마지막 '함께 만들기(4단계)'는 교수자의 역할이 크다. 교수자는 다음날 피드백을 통해 제시된 과제에서 함께 생각하고 나눠야 할 공통의 이슈를 던진다. 그것은 학습자들을 '함께 만들기'로 이끌며 성공적인 협업으로 나아가게 돕는다.

제3장 제4절 지정의 학습과 서번트 리더십에서 소개한 '지정의 학습의 목적'은 교수자가 학습자들에게 함께 생각하고 고민해야 할 이슈를 제공한 것이다. 이것은 학습자에게 프로젝트가 되었고, 함께 '아름다운 생태계 만들기'라는 성공적인 협업의 과정을 이루

게 했다. 밴드 안에서 댓글로 응원해주고 반응해주며 서로의 글에서 적극적인 의사소통이 이루어졌다. 그리고 이것이 각자 삶으로 이어져 자신이 속한 공동체에서도 작은 실천을 이어가고 있다.

본 절에 소개된 콰미 웨신대 박사과정 학생의 이야기도 실례가 된다. 몇몇 학습자가 콰미를 향한 응원과 기부를 '의'의 다짐으로 적었다. 이것은 실제 콰미의 글에 응원 메시지를 보내는 작은 이벤트가 되었다. 누군가의 선한 영향력은 밴드에서 공유되며 서로 소통되었다. 응원 메시지는 기부 운동으로 옮겨갔다. 이런 학습자들의 반응에 필자(박병기)는 '마이크로칼리지(가나)'에 대한 진행 상황을 모두가 볼 수 있는 게시글로 공유했다.[AJ] 놀랍게도 '함께 만들기'인 성공적인 협업이 이루어졌다. 학습자들은 밴드 게시글에 댓글을 달며 서로의 생각과 감정을 주고받았으며 이는 기부와 격려, 응원이라는 성공적인 협업으로 이어졌다.

지정의 학습에서는 자발적이고 적극적인 경청과 타인을 깊이 관찰하고 이해하는 따뜻한 공감이 자연스럽게 이루어진다. 이는 학습자들이 서로를 존중하는 마음의 자세와 '틀리다'가 아닌 '다르다'를 인정하는 분위기 속에서 가능하다. 누군가는 학습자 대상의 범위가 너무 넓지 않냐고 반문할지도 모른다. 청소년을 위한 것과 성인을 위한 것으로 구분하는 것이 더 효과적이지 않냐고 말이다. 그러나 지정의 학습은 단호히 '그렇지 않다'라고 말할 것이다. 우

AJ 8월 19일 필자(박병기)는 콰미가 이끌게 될 eBPSS 마이크로칼리지(가나)의 사무실이 리모델 작업 과정을 학습자들에게 공유했다. https://band.us/band/80429015/post/239

리는 이미 청소년과 성인이 함께 하며 미래 인재 핵심 역량인 4C가 향상되고 서로 성장과 변화하는 것을 보고 경험했기 때문이다. 책의 뒤편에 소개될 '학습자들의 말말말'이 바로 그 증거가 될 것이다. 지정의 학습의 놀라운 효과에 의구심이 든다면 '그냥 와! 보라!'고 권하고 싶다. 지금 필자(김미영)의 심경은 다음의 광고 카피로 대신하겠다.

"좋은데... 참 좋은데... 뭐라 표현할 방법이 없네"[AK]

제 8 절 지정의 학습과 언택트 리더십

'언택트untact·비대면 시대', '언택트 산업', '언택트 족'…

코로나 19 이후 많이 쓰이는 신조어가 '언택트'이다. 부정사 un과 접촉을 뜻하는 contact가 합쳐져 새로 생성된 합성어다. 다수의 대기업은 홍보 마케팅에 '언택트' 키워드를 강조하고 있고, 신문이나 방송, 인터넷에서도 사용례가 넘쳐날 정도로 광범위하게 자주 이용된다. 영어 단어의 합성이니 이 단어는 외래어일까. 아니다. 한국 토종 '콩글리시' 즉 한국식 영어다. 김난도 서울대 소비자학

AK 100년에 한번 나올까 말까 한다는 명카피로 유명한 광고 카피이다. 2010년 천호식품이 건강식품 광로로 내보낸 카피였다. 그 효능이 정말 확실한데 표현할 방법이 없어 답답했던 당시 김영식 회장의 혼잣말이 카피로 결정되었다. 당시 이 광고는 최고의 패러디 대상이 될 정도로 이슈였으며 광고의 제품은 히트상품이 되었다.

과 교수와 연구원들은 매년 '트렌드 코리아'라는 저서를 발간한다. 2017년 8월, 이들은 이 책에 들어갈 내용을 정하기 위해 회의를 열었다. 당시 새롭게 주목받는 기술은 무인 키오스크였고, 온라인 주문과 온라인 상담과 같은 비대면 기술도 본격적으로 확산이 시작되던 때였다. 회의 중 한 연구원이 "이런 기술들을 통합해 '언택트'로 부르는 게 어떨까"라는 제안을 했다. 연구팀 전원은 이 용어가 매우 적절하다고 동의했고, 그해 10월에 발간된 '트렌드 코리아 2018'에 처음으로 이 단어가 실렸다. 코로나 19의 영향으로 비대면 서비스가 늘자 '언택트'의 사용례는 급증했다. 전문가들은 문법적으로는 맞지 않지만, 뜻만 통하면 문제가 없다는 입장이다.[95)]

언택트Untact는 사람과 사람이 직접 만나지 않는 비대면 및 비접촉을 뜻하며 무인, 셀프, 자동화 트렌드를 의미한다. 이를 가능케 해주는 기술들을 '언택트 기술'이라고 하고, 이에 기초하여 유통, 금융, 교육, 이동 등을 제공하는 기업경영을 '언택트 서비스'라고 한다. 비대면 서비스를 즐기는 사람들을 '언택트 족'이라 하며, 비대면 수업을 '언택트 수업'이라 표현한다.

이러한 파생 표현 외에 또 다른 새로운 신조어가 다시 트렌드로 떠오르고 있다. 언택트Untact 문화에 연결On의 개념을 더한 '온택트Ontact'이다. 온라인을 통해 비대면으로 하는 각종 활동을 의미한다. 최근 가수들의 '온택트 콘서트'나 정당의 '온택트 전당대회'가 이러한 사용례이다. 코로나 19 확산 방지를 위한 '사회적 거리두기'가 '언택트(비대면)'에 주목하게 했다. 그러나 사회적 동물인 인간은 물리적 거리는 멀어졌어도 심리적 거리를 좁히고자 노력했다. 비대면 속 연결의 의미가 바로 온택트인 것이다. 물리적 거리는 유지하되 일상을 영위하고 사회를 정상적으로 운영하기 위한 '연결'의 필요성이 온택트를 보편화하게 했다.

온택트라는 용어는 생소할지 모르지만 이미 우리 삶 속에 깊숙이 들어와 자리 잡고 있다. 언택트의 파생 표현들이 실상은 온택트이다. 재택근무로 화상회의 하기, 온라인 수업을 통한 연결과 소통, 드라이브 스루를 적용한 각종 서비스, 온라인을 통한 전시/공연이 바로 온택트이다.

언택트냐, 온택트냐를 구분하는 것은 사실 중요한 의미가 아니다. 중요한 것은 비대면의 사회가 도래했고, 이 사회에 적응한 새로운 트렌드가 발전했다는 것이다. 앞으로 코로나 19와 같은 전염성 높은 변종 바이러스는 계속해서 생길 수 있다고 한다. 그렇다면 이번에 겪은 비대면 사회는 앞으로 우리의 예상보다 더 자주, 더 길게 이루어질 수 있다. 기성세대는 '유례없는'이라는 단어를 붙이며 또다시 이런 일이 생기지 않으리라 생각하고 싶을 것이다. 하지만 우리의 미래 세대는 비대면의 시대가 일상이 될 수도 있다. 이제는 '언택트(비대면)'와 '온택트'를 거스를 수 없는 우리 삶의 일부분으로 받아들여야 한다. 그리고 이 시대를 살아갈 미래 인재를 위한 리더십 교육에 집중해야 한다. 언제나 새로운 시대에는 새로운 리더십이 부상하기 때문이다.

언택트 시대에 필요한 리더십은 무엇일까? 필자(박병기)는 '마음택트 리더십'이라고 생각한다. 마음택트는 언택트 시대의 키워드가 '마음과 마음의 연결'이라는 생각에서 필자(박병기)가 도입한 용어이다. 언택트가 앞서 설명한 대로 un+tact인데 이것에 착안해 '마음'과 'tact'을 연결하여 '마음택트'라는 용어가 나왔다.

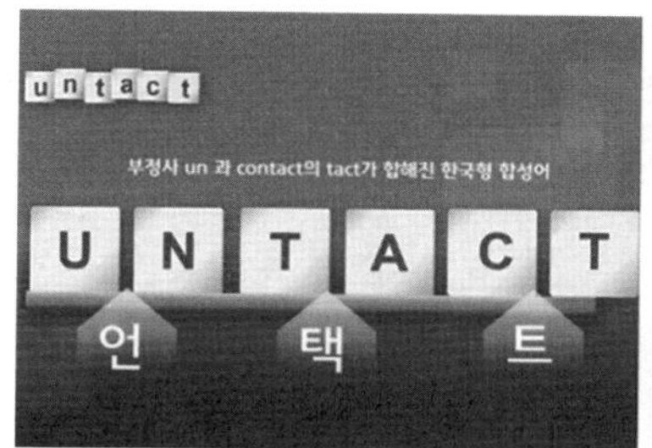

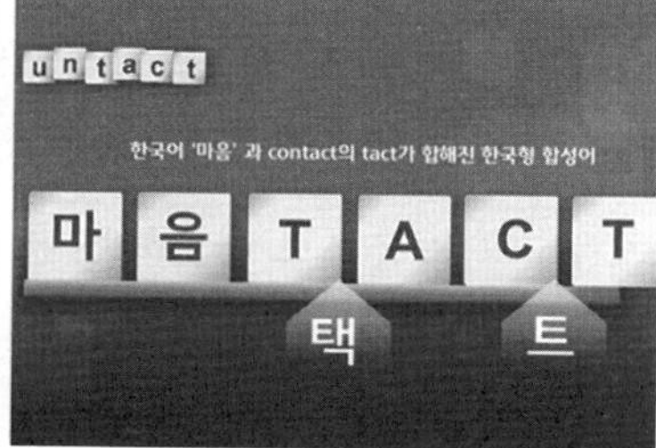

[그림 6] '언택트'와 '마음택트'

지금의 알파 세대, Z세대가 살아갈 세상은 인공지능이 인간의 일을 대체하며 인간 존재에 대한 위협을 느끼게 할 시대이다. 이런 시대에 인간은 인공지능이 없는 인간 지능 즉 9번째 지능을 높여 인공지능을 인류에 이롭게 잘 활용해야 한다. 그러기에 언택트 시대의 리더십은 기존의 리더십으로는 불가능하다. 인간이 하던 일들이 로봇으로 대체되어가는 사회에서 언택트 시대는 더욱 가속화될 것이다. 연결의 리더십 곧 마음과 마음을 이어주는 '마음택트 리더십'이 필요하다. 인공지능은 마음택트가 없다. 따라서 마음택트 리더십이야말로 4차 산업혁명 시대, 언택트 시대의 리더십이라 자신 있게 말할 수 있다.

언택트 시대에 마음택트가 되려면 자(자발성).성(성실함).지(지속성).겸(겸손함).예(예의).협(협동심)이 필요하다. 필자(박병기)는 자성지겸예협을 마음택트 리더십에 필요한 덕목이라고 했다. 언택트의 시대이지만 마음으로 만나려면 이러한 요소가 기반이 되어야 한다고 생각하기 때문이다.

지정의 학습은 학습자들에게 자.성.지.겸.예.협이 향상되도록 훈련하여 언택트 리더십을 발휘하도록 이끈다. 서로 얼굴을 보지는 않지만(언택트:비대면), 밴드라는 같은 공간에서 서로 보는 것처럼 반응하고 마음으로 연결하는 훈련을 한다. 이를 위해 가장 효과적인 것이 댓글 달기이다. 지정의 학습 과정에 댓글 달기가 포함된 이유가 바로 이것이다. 댓글을 다는 것은 언택트 리더십을 파악하는 데 도움을 준다.

필자(박병기)는 지정의 학습에서의 밴드 활동을 강조하며 다음과 같이 학습자들에게 말한다.

> 자발성을 가져야 밴드 활동이 가능합니다. 성실해야 꾸준히 댓글을 통한 소통을 하게 됩니다. 지속적으로 해야 아름다운 생태계를 세우는 데 도움이 됩니다. 겸손해야 다른 사람의 글을 꾸준히 읽고 반응하게 됩니다. 그리고 댓글을 달면서 예의를 훈련하고 협동심을 보입니다.

위 내용을 좀 더 구체적으로 설명하면 다음과 같다.

자(자발성) : 무슨 일이든 억지로 하지 않고 자발성을 보입니다. 해야 할 일을 자발적으로 찾아서 합니다. 시켜서 억지로 했다는 말은 4차 산업혁명 시대에 맞지 않는 말입니다. 자발성을 가지고 즐기면서 하는 것이 중요합니다.

성(성실성) : 좋은 일이라면 무엇을 해도 열심히 하고 최선을 다합니다. 결과와 상관없이 누가 알아주지 않아도 최선을 다합니다. 결과가 안 좋아도 여전히 열심히 합니다. 성실하게 과제를 하고 성실하게 모든 과정에 참여합니다. 성실하게 지정의 글을 씁니다. 4차 산업혁명 시대에는 이런 성실함이 중요합니다.

지(지속성) : 과제를 할 때 한번 반짝하는 게 아니라 지속해서 성실함을 보입니다. 지정의 글을 지속해서 씁니다. 지속성이 있는 사람이 일을 하면 주변 사람들이 안정감을 느낍니다. AI와 로봇도 성실함과 지속성이 있습니다. 하지만 인간의 성실과 지속성에는 사랑이 있습니다.

겸(겸손함) : 자신이 열심을 내어 이룬 일도 다른 사람의 공으로 돌립니다. 부족하다고 생각하면서 자신이 가진 모든 것을 꺼내어 쏟으려고 합니다. 잘난 체하지 않습니다. 하지만 아는 것에 대해 침묵하지도 않습니다. FT와 교수자에게 순종합니다. 완벽한 존재가 없기에 이런 태도는 너무나 중요합니다.

예(예의) : 온라인상이지만 동료 학습자나 FT, 교수자의 글에 인사를 잘합니다. 영상촬영/음성녹화 시에도 인사를 합니다. 상대방의 마음을 살핍니다. 댓글의 표현이나 내용이 다른 사람에게 눈살을 찌푸리게 하지 않습니다. 온라인에서 예의 바른 행동을 합니다.

타인의 지정의 글을 인용하거나 외부에 알릴 때는 꼭 먼저 동의를 구하는 예의를 지킵니다. 새 시대에 매우 필요한 덕목입니다.

협(협동심) : 아름다운 생태계를 만들기 위해 최선을 다해 임합니다. 자신이 도울 수 있는 일이라면 마음을 다해 돕습니다. 내 과제만 하고 다른 사람에 관해서는 관심을 갖지 않는 몰상식함을 보이지 않습니다. 전체 공지와 게시글에 관심을 기울입니다. 새 시대에 꼭 필요한 덕목입니다.

지정의 학습에서 학습자들은 교수자인 필자(박병기)의 의도에 경청하고 공감한다. 그리고 매일의 과제와 밴드 활동을 통해 자.성.지.겸.예.협을 향상해 가고 있다. 자발성과 성실성, 지속성은 지정의 학습을 한다는 그 자체로 향상되는 덕목이다. 학습자들은 매일 제시된 과제를 자발적으로, 성실하게, 지속해서 진행한다. 겸손과 예의는 댓글 쓰기에서 두드러지게 향상된다. 타인의 지정의 글을 겸손의 마음으로 읽고 새로운 통찰과 감정과 창의적인 의의 다짐들을 함께 배워간다. 다른 학습자가 달아준 격려와 칭찬의 댓글에 겸손한 마음으로 예의 바르게 반응한다. 지정의 글을 영상 촬영/음성녹음 할 때도 다른 학습자들을 배려해 인사로 시작하고 높임말을 쓰며 겸손하고 예의 바른 태도로 임한다. 내 과제만 하고 끝이 아니라 다른 학습자의 지정의 글을 돌아보며 도움을 주고 받기도 한다. 간혹 영상을 올리지 않는 학습자가 있다. 그럴 경우 댓글 쓰기를 통해 영상이 빠져있음을 알려주어 돕는다. 오타가 있거나, 비문이 있는 경우도 역시 같은 방법으로 서로 돕는다. 이때도 겸손과 예의는 전제된다.

지정의 학습은 자성지겸예협을 향상하는 기초가 되며 언택트 리더십을 기르는 좋은 훈련의 장이 된다. 필자(박병기)는 부정적인 에너지를 긍정적인 에너지로 바꾸어 건강한 지정의 글을 쓰라고 말한다. 이 과정에서 세상을 부정적으로 인식하던 생각을 긍정적으로 전환하는 것을 훈련한다. 느껴지는 감정을 그대로 쏟아내기보다는 긍정적인 단어로 순화하는 과정을 통해 상한 감정이 치유된다. 학습자는 생각하고 느낀 것을 어떻게 삶 속에서 적용할 것인지를 고민하며 구겨진 지정의가 회복되는 경험을 한다. 그리고 작은 실천을 다짐하고 실제로 실천을 한다. 이 모든 과정을 통해 '나'에서 '타인'으로 그리고 '사회'로 관점이 확장되고 마음 또한 넓고 깊어진다. 이 모든 것이 바로 마음 훈련이고 이런 마음과 마음이 이어지는 것이 마음택트이다.

대면 사회에서 인터넷상의 문제는 심각하게 대두되고 있다. 인터넷 공간에서 욕설, 비속어, 은어 등이 아무렇지도 않게 사용되었다. 사적인 내용이 오가다 보니 개인정보 유출의 위험이 커졌다. 사생활이 보호받기 어려운 문제도 발생하였다. 대면 사회였음에도 온라인상의 문제는 사회적 문제로 수면 위에 올라왔다.

이제는 언택트 사회다. 앞서 언급한 문제들이 더 심화하고 강화될 것이다. 10-20년 후에는 지금 청소년들이 이 사회의 리더로 세워질 것이다. 인공지능은 지금보다 더 발달하여 인간이 하던 많은 일을 대체하게 될 것이다. 우리의 청소년들에게 어떤 리더십을 교육해야 하는가. 자성지겸예협의 언택트 리더십이 절실하다. 자성지겸예협이 전제된 마음을 이어주는 마음택트 리더십이 미래 인재의 역량이다.

4차 산업혁명 시대의 미래 인재 양성을 위한 리더십 교육에 사명을 가진 필자(박병기)는 리더의 정의를 다음과 같이 내렸다.

> 나에 대해 깊이 알고, 이웃을 깊이 관찰해서 어떤 사람들인지 알아내어 타인을 위한 삶을 사는 자가 리더다. 더 나아가 창의적이고 융합적인 사고를 하고 협력을 잘하고 좋은 인격을 갖고 놓인 문제를 지혜롭게 해결을 하며 세상을 이롭게 하는 자가 리더다.

이것을 다시 세부적으로 분석하면 아래와 같다.

> 나에 대해 깊이 알고(리더십 개발과 교육), 이웃을 깊이 관찰해서 어떤 사람들인지 알아내어 타인을 위한 삶을 사는 자(서번트 리더십)가 리더이다. 더 나아가 창의적이고 융합적인 사고를 하고(콘텐츠의 미래와 리더십[AL]) 협력을 잘하고 좋은 인격을 갖고(4차 산업혁명 시대의

AL 하버드 경영대학원 전략 교수인 바라트 아난드는 2017년 '콘텐츠의 미래'라는 그의 저서를 통해 콘텐츠 산업의 핵심을 연결 안에서 찾았다. 그는 컨텍스트가 중요하다며 컨텍스트(상황, 정황)를 모르는 사람이 만든 콘텐츠는 '반쪽 콘텐츠'라고 말했다. 이를 통해 볼 때 컨텐츠의 미래는 컨텍스트를 이해하며 연결될 때 문제를 해결하고 세상을 아름답게 바꿀 수 있다. 콘텐츠 시대의 리더는 컨텍스트에 대한 이해가 높고 연결할 줄 아는 리더이다.

리더십[AM]) 놓인 문제를 지혜롭게 해결을 하며(변혁적 리더십[AN]) 세상을 이롭게 하는 자(마음택트 리더십)가 리더이다.

지정의 학습의 궁극적 목적은 세상을 이롭게 하는 마음택트 리더를 교육하는 것이다. 날마다 주어진 과제를 하며 나를 깊이 알아가는 리더십 개발과 교육이 이루어진다. 나를 알게 되면 자연스럽게 타인에게로 시선이 옮겨간다. 그때 비로소 이웃을 깊이 관찰하게 되고 그들이 어떤 사람들인지 알아갈 수 있다. 나아가 타인을 위해 자신이 할 수 있는 일이 무엇일까를 고민하며 작은 실천으로 서번트 리더의 삶을 살아간다. 타인을 위해 할 수 있는 일을 고민하며 작은 실천을 찾는 과정에 기존의 기억과 새로운 통찰과 경험이 연결되는데 이를 통해 창의적이고 융합적인 사고가 일어난다. 여기에 자신과 문제 상황에 대한 컨텍스트의 분석이 더해져 문제를 해결하며 세상을 아름답게 바꿀 수 있다.

AM 4차 산업혁명 시대의 리더는 개념에 기초한 유연성과 창의성이 있어야 한다. 또한, 기존의 사고를 뛰어넘어 다양한 방식으로 생각하게 하는 디지털 사고방식이 필요하다. 이를 위해 슈밥은 상황맥락지능, 정서지능, 영감지능, 신체 지능이 필요하다고 말했다. 필자(박병기)는 '일상생활의 관점을 뛰어넘어 생각하는' 개념적 관점을 가진 리더가 필요하다고 생각한다. 개념적 관점을 가진 개념적 리더십은 서번트 리더십을 가질 때 갖게 되며, 서번트 리더가 조금 더 나아가면 개념적인 사람이 된다(박병기. 2018)..

AN 변혁적 리더십의 핵심은 '자신을 바꾸는 것'과 '다른 사람을 바꾸는 것'이다. 변혁적 리더는 문제를 해결하며 세상을 아름답게 바꾼다. 가칭 한국형 서번트 리더십 아카데미(KSLA)가 내린 변혁적 리더십의 정의는 다음과 같다. 변혁적 리더십은 포용과 협력으로 나와 타인을 변화시켜 함께 성장하는 사회를 만드는 인간중심의 리더십이다(박병기 외, 2020).

4차 산업혁명 시대는 '연결' 곧 '융합'이 키워드다. 공유 경제 시대가 되며 플랫폼을 통한 진정한 나눔이 이루어진다. 자신의 것을 블로그나 SNS를 통해 나누고 서로 교류하며 온라인에서의 토론 문화가 형성된다. 슈밥이 말한 4가지 지능을 갖추고 서로 협력하며 놓인 문제를 지혜롭게 해결하는 변혁적 리더가 필요하다. 나아가 인공지능과 함께 살아가기 위해 세상을 이롭게 하는 마음택트 리더의 양성이 필요한 시점이다.

코로나 19를 겪으며 우리는 바이러스로부터 인류를 구하고 세상을 이롭게 할 담론을 형성하며, 세계를 선도할 리더의 부재를 경험하고 있다. 열강의 리더들이 자국 우선주의로 마음의 빗장을 닫고 있으며 나라 간 부의 쏠림과 양극화가 심화하고 있다. 백신 개발에는 막대한 비용과 노력이 필요하다. 이 역시 약소국은 소외되고 만다. 백신이 개발된다고 해도 열강들의 선주문을 통해 가난한 나라는 구경조차 할 수 없는 지경이다.

아직도 '나만 잘살면 된다.'고 생각하는가. 그러면 안 된다. 미래 사회는 공유와 협력의 세상이다. '함께', '더불어', '상생', '연대'가 이루어지는 세상을 만들어야 한다. '연결'이 핵심이다. 다시 강조한다. 언택트 시대의 마음택트 리더십이 우리의 마스터키가 될 수 있다.

다음은 이러한 지정의 학습을 잘 실천한 한 성인 학습자의 실례이다. 지정의 학습은 학습자들의 삶에서 이런 모습이 회복되기를 기대한다.

지정의 학습자 김희경의 경우는 2020년 8월 5일 지정의 과제를 통해 아름다운 생태계를 만들기 위한 노력을 다짐했다. 이날 과제에는 작은 실천으로 구체적인 행동을 적지는 않았다. 그러나 며칠 뒤 '의'의 실천을 위한 노력이 삶으로 열매를 맺었다. 비가 오는 날 급히 옥상에 올라가 널려있는 빨래를 걷었다. 후드둑 떨어지는 비에 젖을까 싶어 부랴부랴 내 빨래만 챙겨 내려올 수도 있었다. 하지만 옆에 걸린 이웃의 빨래가 맘에 걸렸다. 그대로 두면 애써 빤 빨래가 다 젖어 다시 빨아야 할 상황이 될 것이 뻔했다. 이웃의 빨래도 걷어 그 집에 가져다주었다. 그날 저녁 집 앞에 쪽지가 하나 붙어있었다.

"빨래 걷어주셔서 감사합니다."

퇴근 후 소식을 접한 이웃집 아줌마의 예쁜 손글씨 메모였다. 학습자 김희경의 아름다운 생태계를 만들고자 노력했던 '의'의 실천이 이웃끼리 교류조차 없이 살아가는 현대인의 삶에 온기를 전해준 것이다. 이 내용은 '의'의 실천으로 밴드에 공유되었고 필자(박병기)는 이 아름다운 이야기를 모든 학습자에게 게시글로 소개했다. 다수의 학습자는 삶에서 경험하는 아름다운 생태계에 놀라워했다. 자신도 이웃과 공동체에 이런 따뜻하고 아름다운 실천에 동참하겠다는 '의'의 다짐을 불러일으켰다.

김희경은 평소 '타인을 위한 삶'을 살아왔다. 그런데 이번 지정의 글로 자신의 이타적인 삶을 돌아보는 계기가 되었다고 한다. 비 오는 날 이웃을 배려한 작은 행동은 감사의 마음을 담은 이웃의 정을 느끼게 했다. 나아가 지정의 학습 밴드에서 다른 학습자들의 칭찬과 격려를 통해 '타인을 위한 삶'이 주는 기쁨과 풍성함을 경험하게 했다.

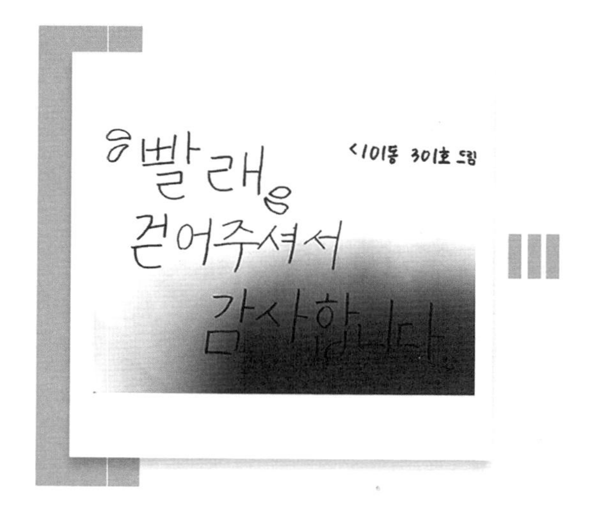

[그림 7. 작은 친절에 보인 이웃의 반응]

이것이 바로 언택트 시대의 마음택트 리더십이다. 이웃집 밥숟가락이 몇 개였는지를 알고 지냈던 이웃 간의 정, 집 앞 평상에 앉아 수다 떨던 정감 있는 골목의 평화로움. 이웃집 우편물을 대신 받아주고 옆집 아이를 챙겨주던 이웃집 담장 너머의 사랑이 너무나 그리운 시기다.

언택트 시대, 우리는 지정의 학습을 통해 로봇과 함께 살아가는 정감 넘치는 세상, 이 세상을 이롭게 하는 자.성.지.겸.예.협을 배우며 '마음택트 리더십'을 훈련해갈 것이다.

마음이 따뜻해짐을 느끼는가. 온정이 사라져가는 시대이다. 층간 소음으로 서로 민감하고 옆집에 누가 사는지도 모르는 세상이다.

최근 한 소식을 접했다. 50대의 건강한 가장이 길을 가다 쓰러졌다. 심근경색이었다. 누군가 달려와 빠른 조치를 해주고 119를 불러주었다면 살 수 있었다. 그러나 안타깝게도 도움의 손길을 받지 못했고, 골든 타임을 놓쳐 사망했다. 너무 가슴 아픈 일이다. 2017년 5월의 한 기사에는 반대의 이야기가 실렸다. 똑같이 심근경색으로 50대 남성이 쓰러졌다. 이 남성은 주변 시민들의 자발적 도움과 119 구급대원의 응급처치를 받은 뒤 병원으로 이송되었다. 이분은 잘 회복되었다. 불과 3년 전 일이다. 점점 더 각박해지는 세상이 되어가고 있음을 보여주는 방증이 아닐까. 안타깝게도 우리는 주변 사람들에게 점점 더 무심해져 간다. 그러나 4차 산업혁명 시대를 살아갈 우리의 아이들에게는 이웃을 돌아볼 마음을 열어주어야 한다. 그리고 그들을 세상을 아름답고 이롭게 하기 위한 리더로 키워야 한다.

언택트 시대. 마음과 마음이 이어지는 마음택트 리더십으로 미래 인재가 자라기를 소망한다. 그리고 기성세대가 마음택트 리더십을 흘려보내 주기를 바란다. 이 책을 읽고 있는 당신이 기성세대인가. 우리가 책임을 통감하고 롤모델이 되어주어야 한다. 우리가 자성지겸예협을 훈련하고 아름다운 세상을 만들기 위해 더 노력해야 한다.

지정의 학습을 세상에 내놓는 필자들의 마음은 우리의 아이들이 나만 잘사는 공부가 아닌 세상을 이롭게 하는 공부를 하고 그 공부를 통해 미래 시대를 선도해 갈 마음택트 리더십을 실천하는 미래 인재가 되길 바란다. 지정의 학습이 이러한 미래 인재 양성을 위한 통로이자 마스터키가 될 것이다.

앞서 소개한 여러 내용들 때문에 우리는 이 책 제목을「하버드에도 없는 AI 시대 최고의 학습법」이라고 이름 지었다.

CHAPTER

04

지정의 학습 양적 연구

나미현 박사

1. 조사대상

본 연구는 2020년 7월 6일부터 2020년 9월 17일까지 70일간 지정의 학습에 참여한 사람을 대상으로 진행했다. 지정의 학습에 참여한 사람은 총 65명에 해당한다. 이중 성인은 30명(46.2%), 청소년은 35명(53.8%)에 해당하였으며, 남성은 17명(26.2%), 여성은48명(73.8%)에 해당하였다. 참여자 65명에게 지정의 학습을 한 후의 변화와 관련된 설문을 온라인을 통해 실시하였으며, 이중 설문에 응답한 34명의 자료를 분석하였다. 설문에 응답한 참여자는 성인 18명(52.9%), 청소년 16명(47.1%)이며, 남성은 8명(23.5%), 여성은 26명(76.5%)에 해당한다.

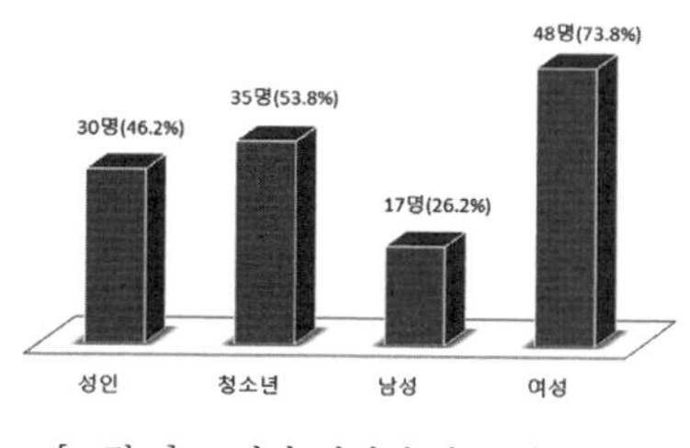

[그림 1] 70일간 지정의 학습 참여인원

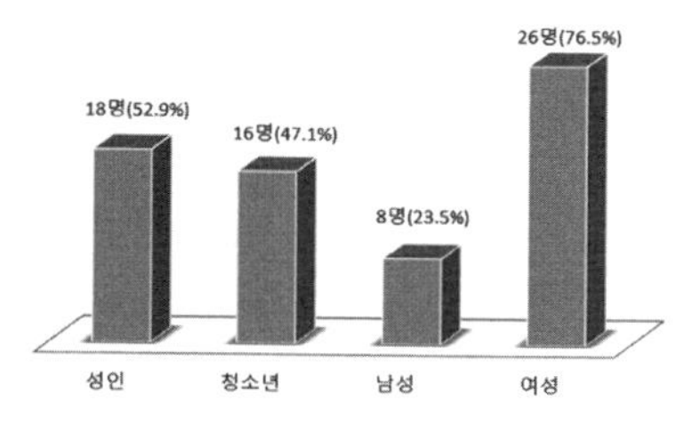

[그림 2] 지정의 학습 설문 참여인원

2. 측정도구

측정도구는 거꾸로미디어 연구소 박병기 소장(2020)이 지정의 학습의 변화를 알아보기 위해 제작한 설문 문항을 사용하였다. 설문문항은 총 28문항으로 구성되어 있으며, 지(7문항), 정(7문항), 의(7문항), 체(7문항)에 해당한다. 문항을 읽고 '매우 그렇지 않음=0', '매우 그러함=10'에 체크하도록 되어있다. 점수는 10점 만점으로 평균 점수가 높을수록 '지정의체'가 향상된 것으로 보았다. 1번-7번 문항은 '지', 8~14번 문항은 '정', 15~21번 문항은 '의', 22번~28번 문항은 '체'에 해당한다. 지정의체를 측정하기 위한 신뢰도(문항내적일관성신뢰도)는 .979(지=.934, 정=.931,의=.941, 체=.891)로 매우 높게 나타났다. 문항구성 및 신뢰도 계수는 <표 1>과 같다.

<표 1> 지정의체 설문문항 및 신뢰도 계수

구분	설문문항	Cronbach's α
지	1. 나는 지정의 학습을 한 이후 기존의 방식을 다시 생각해보고 필요하다면 새롭게 시도해보는 데 관심이 생겼다.	.934
	2. 나는 지정의 학습을 한 후 기존의 지식이 새로워질 수 있다고 생각하게 되었고 끊임없이 공부하고 사고하는 것의 중요성을 알게 되었다.	
	3. 나는 지정의 학습 이후 기존의 영역(방식)을 재구성하고 새롭게 하는 것에 관심이 생겼다.	
	4. 나는 지정의 학습 후 복잡한 상황, 복잡한 세계에 대한 관심이 높고 어떤 상황인지 파악하려는 자신을 발견했다.	
	5. 나는 지정의 학습 후 목표를 세울 때 전략적으로 하려고 노력하게 되었다. 생각나는 대로 하지 않게 되었다.	
	6. 나는 지정의 학습 후 조직 안에 있든, 조직 밖에 있든 아이디어를 쉴틈 없이 생각하게 되었다.	
	7. 나는 지정의 학습 후 새로운 견해(개념)와 생각(사고)을 개발하는 데 흥미가 생겼다.	
정	8. 나는 지정의 학습 후 사람과의 관계, 업무(일)의 효율성 사이에서 균형을 유지하려고 노력하게 되었다	.931
	9. 나는 지정의 학습 후 사람과의 관계에서 신뢰를 쌓으려고 노력하게 되었다.	
	10. 나는 지정의 학습 후 다양한 문화 속에서 진정한 공감을 개발하려고 노력하게 되었다.	
	11. 나는 지정의 학습 후 함께 일할 때 진심으로 헌신하는 환경을 만들어내려고 이전보다 더 노력하게 되었다.	

	12. 나는 지정의 학습 후 현재 놓여진 상황에서 무엇이 진정으로 중요한지를 파악하려고 노력하게 되었다.	
	13. 나는 지정의 학습 후 잠정적인 일탈 행위가 무엇인지 파악하고 극복하려는 마음을 갖게 되었다.	
	14. 나는 지정의 학습 후 다른 사람과 공감하려고 애쓰게 되었다.	
	15. 나는 지정의 학습 후 데이터가 불완전하더라도 모험을 감행하게 되었다.	
	16. 나는 지정의 학습 후 위험과 보상 사이에서 균형을 잡으려고 노력하게 되었다.	
	17.지정의 학습 후 어려움이 늘 찾아온다는 것을 알지만 이에 굴복하지 않으려는 마음이 생겼다.	
의	18. 나는 지정의 학습 후 필요할 때는 단호하게 행동하게 되었다.	.941
	19. 나는 지정의 학습 후 선한 성공(승리)을 위해 필요하다고 하면 집요하게 그것을 추구하게 되었다.	
	20. 나는 지정의 학습 후 역경이 오더라도 굴하지 않고 인내하는 마음이 생겼다.	

3. 분석결과

가. 지정의체 평균비교

34명에 대한 자료 분석 결과 '지'의 평균은 7.68(SD=1.66), '정'의 평균은 7.65(SD=1.77), '의'의 평균은 7.23(SD=1.89), '체'의 평균은 7.44(SD=1.62)에 해당하며, '지>정>체>의' 순으로 평균점수가 높은 것으로 나타났다. 세부사항은 <표 2>와 같다.

<표 2> 지정의 설문문항에 대한 평균값

구분	N	최소값	최대값	평균	표준 편차
지	34	3.71	10.00	7.68	1.66
정	34	4.29	10.00	7.65	1.77
의	34	2.86	10.00	7.23	1.89
체	34	4.29	9.71	7.44	1.62

나. 지정의체 각 문항에 따른 향상도

지정의체에 대한 전체평균 값은 7.51에 해당한다. 전체평균 값을 기준으로 각 문항에 대해 8점 이상 해당하는 사람은 지정의체가 높은 것으로 보았다. [그림 3]은 지정의체 각 문항에 대해 8점 이상에 해당하는 사람을 그래프로 나타낸 것이다. 가로축은 문항번호에 해당하며, 세로축은 8점 이상에 해당하는 인원수이다. 빨간 선은 설문참여 인원 34명을 기준으로 각 문항에 대해 8점 이상, 참여인원 과반수(17명, 50%) 이상을 구분하기 위한 선이다. 즉,

1번 문항(나는 지정의 학습을 한 이후 기존의 방식을 다시 생각해보고 필요하다면 새롭게 시도해보는 데 관심이 생겼다.)에 응답한 34명중 8점 이상이 22명에 해당한다고 해석하면 된다.

따라서 지정의체 각 문항에서 13번(나는 지정의 학습 후 잠정적인 일탈 행위가 무엇인지 파악하고 극복하려는 마음을 갖게 되었다.), 15번(나는 지정의 학습 후 데이터가 불완전하더라도 모험을 감행하게 되었다.), 16번(나는 지정의 학습 후 위험과 보상 사이에서 균형을 잡으려고 노력하게 되었다. 19번(나는 지정의 학습 후 선한 성공(승리)을 위해 필요하다고 하면 집요하게 그것을 추구하게 되었다.), 21번(나는 지정의 학습 후 어려운 의사결정을 두려워하지 않고 처리하게 되었다.), 22번(나는 지정의 학습 후 내 삶에 큰 변화가 찾아와도 두려워하지 않게 되었다.), 23번(나는 지정의 학습 후 내 조직에 큰 변화가 찾아와도 두려워하지 않게 되었다.), 27번(나는 지정의 학 후 건강을 위해 정기적으로 운동을 하게 되었다.) 문항이 평균점수보다 낮은 것으로 나타났다.

종합해보면 지를 측정하기 위한 총 7문항 중 7문항 모두에서 설문참여 인원 34명 중 과반수이상이 평균점수 보다 높았다. 지정의체를 측정하기 위한 각 7문항에서 정은 6문항, 의는 3문항, 체는 4문항에서 설문참여 인원 34명 중 과반수이상 평균점수가 높았다. 이는 70일간의 지정의 학습이 지와 정에는 참여인원 과반수 이상에게 영향을 미치고 있으나, 의와 체는 지와 정에 비해 영향이 덜 한 것으로 볼 수 있다. 평균점수 보다 높은 문항에 대한 세부내용은 <표 1>과 같으며, 8점 이상 해당하는 문항에 대해 음영처리를 하였다.

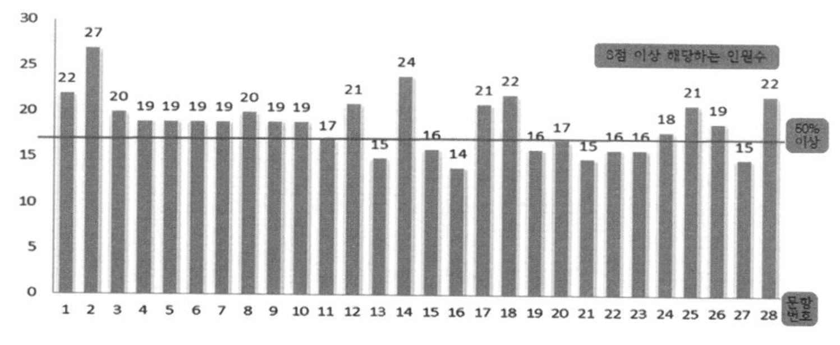

[그림3] 지정의체 각 문항에 따른 향상도

나. 성별에 따른 지정의체 향상도

70일간 지정의 학습을 실시하고 '지정의체'가 성별에 따라 차이가 있는지 알아보기 위해 독립표본 t 검증을 실시하였다. 그 결과 지에 대한 남성 평균은 8.16(SD=2.18)이며, 여성 평균은 7.53(SD=1.49)으로 평균점수는 여성에 비해 남성 평균이 0.63 높은 것으로 나타났으나 통계적으로는 유의하지 않았다. 정에 대한 남성 평균은 8.37(SD=1.94), 여성 평균은 7.43(SD=1.69)으로 남성 평균이 다소 높았으나 통계적으로 유의하지 않았다. 의에 대한 남성 평균은 7.71(SD=2.37), 여성 평균 7.09(SD=1.75)으로 남성 평균이 다소 높았으나 통계적으로 유의하지 않았다. 체에 대한 남성 평균은 7.82(SD=2.03), 여성 평균은 7.33(SD=1.50)으로 남성 평균이 다소 높았으나 통계적으로 유의하지 않았다. 즉, 지정의 학습에 대해 남성과 여성의 평균을 비교하였을 때 남성이 여성보다 평균점수로는 다소 높은 결과를 보이고 있으나 통계적으로 유의하지 않았다. 이는 지정의 학습은 성별에 따라 차이가 없는 것으로 해석할 수 있다.

<표 3> 성별에 따른 지정의체 평균비교

구분	N	지		정		의		체	
		평균	표준편차	평균	표준편차	평균	표준편차	평균	표준편차
남성	8	8.16	2.18	8.37	1.94	7.71	2.37	7.82	2.03
여성	26	7.53	1.49	7.43	1.69	7.09	1.75	7.33	1.50
t통계값		.921		1.329		.805		.737	
유의확률		.364		.193		.427		.467	

*p<.05, **p<.01, ***p<.001

다. 성인 및 청소년간의 지정의체 향상도

70일간 지정의 학습을 실시하고 '지정의체'가 성인과 청소년에 따라 차이가 있는지 알아보기 위해 독립표본 t 검증을 실시하였다. 그 결과 '지'에 대한 성인 평균은 7.99(SD=1.56)이며, 청소년 평균은 7.33(SD=1.76)으로 평균점수는 성인이 청소년에 비해 평균 0.66이 높은 것으로 나타났으나 통계적으로는 유의하지 않았다. 정에 대한 성인 평균은 8.08(SD=1.68), 청소년은 7.16(SD=1.79)으로 성인 평균이 다소 높았으나 통계적으로 유의하지 않았다. 의에 대한 성인 평균은 7.39(SD=1.94), 청소년은 7.06(SD=1.89)으로 성인 평균이 다소 높았으나 통계적으로 유의하지 않았다. 체에 대한 성인 평균은 7.71(SD=1.48), 청소년은 7.15(SD=1.76)으로 성인 평균이 다소 높았으나 통계적으로 유의하지 않았다. 즉, 지정의 학습에 대해 성인과 청소년의 평균을 비교하였을 때 성인이 청소년보다 평균점수로는 다소 높은 결과를 보이고 있으나 통계적으로 유의하지 않았다. 이는 지정의체 학습이 성인과 청소년 사이에 차이가 없다고 해석할 수 있다. 그러나 주의할 점은 <표2 >에서 제시한 지(7.68점), 정(7.65점), 의(7.23점), 체(7.44점) 평균점수를 기준으로 하였을 때 성인은 각각의 평균점수가 다소 높았으나, 청소년은 지정의체 평균점수보다 낮은 것을 알 수 있다. 이러한 결과는 지정의 학습이 청소년보다 성인들에게서 조금 더 빠른 향상이 있다고 해석할 수 있음으로 이와 관련된 후속 연구가 필요함을 보여준다.

<표 4> 성인 및 청소년 지정의체 평균비교

구분	N	지		정		의		체	
		평균	표준편차	평균	표준편차	평균	표준편차	평균	표준편차
성인	18	7.99	1.56	8.08	1.68	7.39	1.94	7.71	1.48
청소년	16	7.33	1.76	7.16	1.79	7.06	1.89	7.15	1.76
t통계값		1.145		1.539		.507		1.010	
유의확률		.261		.134		.615		.320	

*p<.05, **p<.01, ***p<.001

라. 참여횟수에 따른 지정의체 향상도

'지정의 학습' 참여횟수에 따라 평균값에 차이가 있는지 알아보기 위해 일원배치분산부석One Way ANOVA을 실시하였다. Levene의 등분산검증 결과 0.05<p에 해당하여 동일 집단으로 확인 되었으며, 사후검증 결과는 <표 5>와 같다. '지'의 학습 결과 평균적으로 11번~20번 참여한 사람보다 51번~60번 이상 참여할 경우 평균점수가 높은 것으로 나타났으나 통계적으로는 유의하지 않았다. '정'과 '의'에서는 참여 횟수가 20번 이하인 사람보다 21-30번, 41번 이상 참여한 사람의 평균점수가 높은 것을 알 수 있다. 그러나 참여 횟수 20번 이하인 사람과 31-40번 이하의 경우에는 통계적으로 유의한 수치를 보이지 않았다. 즉, 지정의 학습 중 '정'과 '의'는 20번 이하 보다는 40번이상일 경우 향상된다고 해석할 수 있다. 31-40회가 되었을 때 평균점수가 낮은 것은 '지정의' 학습에 대한 정체기라고 볼 수 있다.

<표 5> 참여횟수에 따른 지정의체 평균비교

참여 수	N	지		정		의		체	
		평균	표준편차	평균	표준편차	평균	표준편차	평균	표준편차
6~10이하(a)	1	6.43	-	5.43	-	2.86	-	5.57	
11~20이하(b)	2	5.71	0.20	5.14	0.00	5.14	0.81	5.29	0.61
21~30이하(c)	5	8.03	1.31	7.69	1.56	7.37	1.54	7.69	1.17
31~40이하(d)	4	5.89	2.19	5.71	1.70	5.54	2.25	6.39	2.44
41~50이하(e)	11	7.82	1.20	7.97	1.28	7.77	1.04	7.57	1.24
51-60이하(f)	6	8.81	1.29	8.83	1.24	8.26	1.74	8.31	1.46
61이상(g)	5	8.17	2.00	8.51	1.95	7.80	2.05	8.00	1.81
F값/유의확률		2.385/.056		3.567/.010**		3.343/.014**		1.697/.160	
사후검증 (Scheff)				a,b<c,e,f,g		a,b<c,e,f,g			

*p<.05, **p<.01, ***p<.001

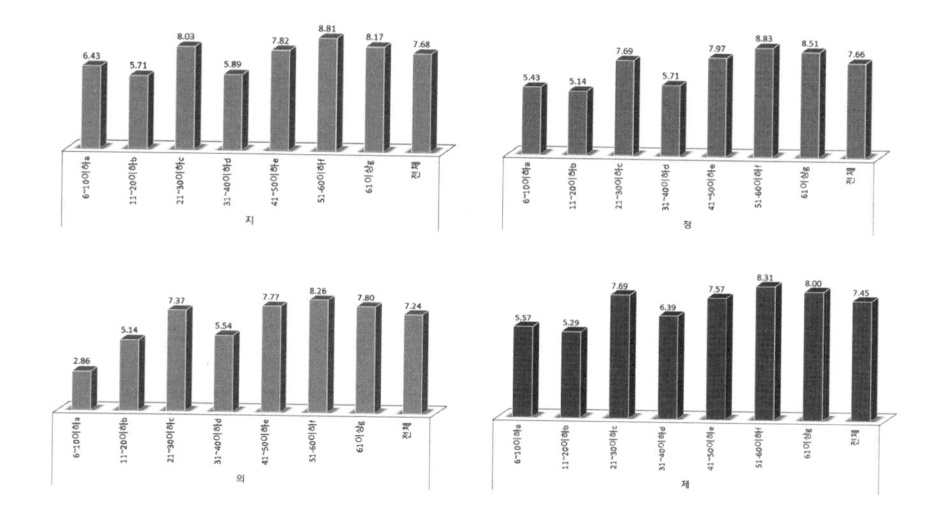

[그림 4] 참여횟수에 따른 지정의체 평균비교

라. '의' 실천횟수에 따른 지정의체 향상도

지정의에서 '의'는 다른 말로 영감지능Volition이라고 한다. 의는 지와 정을 통해 새롭게 알게 되고, 느끼게 된 것을 어떻게 의지적으로 적용할 것인가와 관련 있다. 즉, 의지, 결정, 선택, 비전, 꿈, 노력, 성실 등 '지'와 '정'을 통해 알게 된 것을 실천하였을 때 의가 향상된 것이라고 할 수 있다(박병기, 2018: 124). 따라서 지정의 학습에서는 의를 실천하였는가에 대해 온라인 네이버 밴드 방eBPSS IEV Study에 실천사항을 사진을 찍어서 올리도록 하였으며, 실천횟수를 체크하였다. '의'실천에 참여하고 지정의체 설문 문항을 체크한 29명의 자료를 분석하였다.

‘의’ 실천횟수에 따른 ‘지’의 평균은 7.90(SD=1.62), ‘정’의 평균은 7.99(SD=1.61), ‘의’의 평균은 7.56(SD=1.72), ‘체’의 평균은 7.69(SD=1.54)에 해당한다. 평균점수를 기준으로 하였을 때 ‘정>지>체>의’ 순으로 평균점수가 높은 것을 볼 수 있다. ‘지’ 평균점수인 7.90을 기준으로 ‘의’ 실천횟수는 31회 이상에서 평균점수가 높은 것을 알 수 있다. ‘정’ 평균점수인 7.99를 기준으로 ‘의’ 실천횟수는 31회 이상에서 평균점수가 높은 것을 알 수 있다. ‘의’ 평균점수인 7.56을 기준으로 하였을 ‘의’ 실천횟수는 21회 이상~40이하에서는 평균점수가 높았으나 41~50이하에서는 평균점수보다 낮은 결과를 보이고 있다. ‘체’ 평균점수인 7.69를 기준으로 ‘의’ 실천횟수는 31회 이상에서 평균점수가 높은 것을 알 수 있다. 그러나 ‘의’ 실천횟수에 따른 지정의체 향상과 관련하여 통계적으로 유의하지는 않았다.

‘의’ 실천횟수에 따른 지정의체에 변화가 있는지에 대한 종합결과는 다음과 같다. ‘의’의 실천횟수 21회 이상에서 ‘의’의 전체 평균점수 보다 높았으며, 31회 이상에서는 지정체의 평균점수가 높았다. 즉, 머리로 알게 된 것을 가슴으로 느끼고 행동으로 옮기기까지는 21회 이상 훈련이 필요하다는 결과를 보이고 있다.

<표 6> '의' 실천횟수에 따른 지정의체 평균비교

'의'실천횟수	N	지		정		의		체	
		평균	표준편차	평균	표준편차	평균	표준편차	평균	표준편차
5회 이하(a)	6	8.19	0.95	7.74	1.16	7.81	1.11	7.81	1.53
6-10이하(b)	6	7.29	2.21	7.43	1.93	6.98	2.69	7.31	2.04
11~20이하(c)	9	7.63	1.82	8.10	1.92	7.43	1.83	7.51	1.64
21~30이하(d)	4	7.82	1.66	7.82	1.73	7.79	1.33	7.57	1.49
31~40이하(e)	3	9.24	0.50	9.19	0.66	8.62	0.86	8.67	0.72
41-50이하(f)	1	8.57		8.86		6.57		8.57	
총계	29	7.90	1.62	7.99	1.61	7.56	1.72	7.69	1.54
F값		.665		.538		.430		.369	
유의확률(p)		.654		.746		.823		.864	

*p<.05, **p<.01, ***p<.001

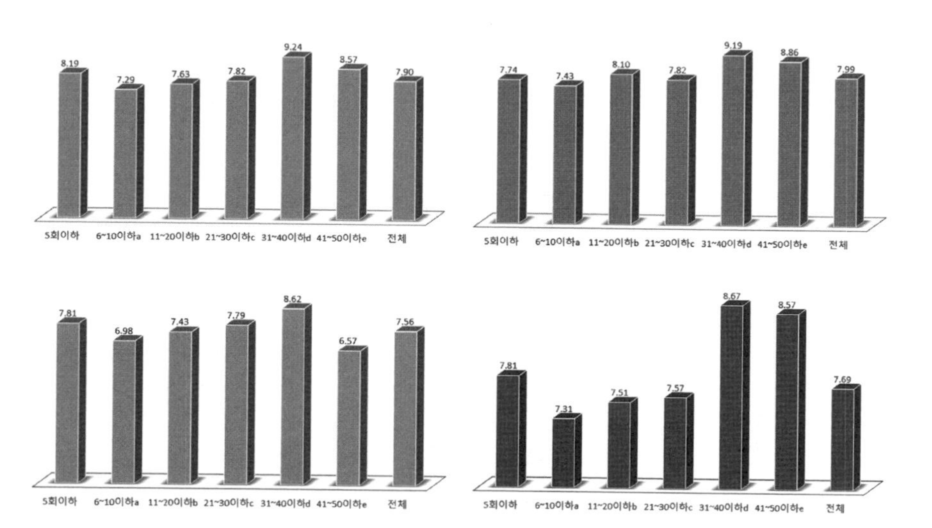

[그림 5] '의' 실천횟수에 따른 지정의체 평균비교

CHAPTER

05

나가는 말

이 글을 쓰고 있는 시점은 지정의 학습 시작 후 100일이 지나는 포인트다. 100일이 되는 시점에 필자(박병기)는 지정의 학습 참가자들이 원래 목적대로 이 학습에 참여하고 있지 않음을 발견했다.

서론에서 필자는 지정의 학습의 목표를 '인간다움의 회복'이라고 설명한 바 있다. AI가 도무지 따라갈 수 없는 그 무엇을 훈련하고 향상하는 것이라고 했다. 지정의의 향상은 곧 인간다움의 회복이고 AI는 흉내 낼 수 없는 그 무엇이다.

100일을 지나는데 필자의 내면에서는 다음과 같은 질문이 나왔다.

"우리는 과제를 위한 과제를 왜 하고 있을까?"

지정의 학습의 미션이 위와 같이 주어졌지만 학습자들은 여전히 이전처럼 과제를 하고 있었다. 지정의 학습에서 과제를 주는 목적은 행동과 삶의 변화를 위한 훈련을 위해서였다. AI는 흉내 내기 어려운 그 무엇을 할 수 있는 마음의 근육을 키우고 인간다움의 회복으로 이끌고 싶었다. 그런데 너무나 안타까운 사실은 많은 이가 과제를 완성하기 위해 과제를 한다는 것을 알게 되었다. 안타까웠다. 이전의 습관을 떨쳐내기가 쉽지 않음을 알게 되었다. 이런 마음으로 지정의 학습에 임하면 내가 주인공이 아니라 과제가 주인공이 된다.

그런데 이런 습관은 기존 사회의 엘리트들에게서 온다는 생각이 들었다. 이 사회를 이끌어가는 엘리트들은 학위 논문을 논문 작성자, 심사자 그리고 세상이 변혁되기를 원해서 쓰지 않고 엘리트의 대열에 들어가는 자격증 시험처럼 만들어버렸다. 수많은 논문이 학위 통과를 위해 작성되었다. 물론 그중에는 본질에 맞는, 매우 뛰어난 논문도 있지만 대체로 학위 논문의 주인공은 인간이 아니라 학위증서나 논문 그 자체다. 학술지 논문도 거의 비슷한 이유로 작성되고 있다. 그러한 분위기가 내려오고 또 내려와서 초중고등학교 과제도 점수를 받기 위해 행해지고 있다. 과제는 변화와 성장을 위해 하는 것인데 점수를 위해 하고 상급 학교 진학을 위해 하는 우스꽝스러운 일이 반복되고 있다.

이런 문제를 해결하기 위해 세운 eBPSS 마이크로칼리지와 증강학교에서도 그다지 큰 차이는 보이지 않는다. 과제를 위한 과제를 하는 사람이 너무나 많았다. 과제를 위한 과제를 해서 점수 받고 통과하는 게 무슨 의미가 있단 말인가.

우리의 학습 안에서 주어진 과제는 내면의 성장과 함께 외부에 나가서 잘 '써먹으라'고 있는 것이다. 그리고 내면이 자람으로 잘 실천하라고 있는 것이다. 그런데 학습을 할 때와 학습 밖에서 무엇인가를 할 때 큰 차이가 있는 것을 여러 차례 목격한다. 즉 과제물은 과제를 위해 존재할 뿐이지 일상생활과는 동떨어져 있다.

과제를 위한 과제를 하는 것이다. 그 과제의 주인공은 내가 아니라 과제 그 자체가 된다. 마치 돈의 주인은 인간이 아니라 돈이 된 것처럼 말이다.

지정의 학습을 할 때는 멋진 말을 많이 쓰지만 삶에서는 10%도 자신이 쓴 글을 쫓아가지 못한다. 100%까지는 아니어도 10-20%는 되어야 하지 않겠는가.

그래서 2020년 11월 13일부로 개발자(박병기)는 <#오늘의 과제>라는 제목을 <#오늘의 미션>으로 바꿨다. 우리는 우리에게 주어진 미션을 이행하기 위해 지정의 학습을 하는 것이다. 지정의 학습이 신나고 재미있고 매일이 기대가 되면 미션을 잘 수행하는 것이고 매일의 미션이 버거우면 과제를 하고 있는 것이다. 그럴 필요가 있는가. 이미 세상은 우리를 너무나 버겁게 하는 데 말이다.

2020년 11월10일 증강학교 강의에서 필자는 학생들에게 다음과 같이 말을 했다.

"여러분을 행복하게 하려고 지정의 학습을 만든 것이지, 부담주고 괴롭게 하려고 만든 게 아닙니다. 부담되고 괴로우면 행복한 것을 찾아보세요. 지정의 학습은 행복한 일이고 즐거운 일입니다. 그렇게 생각하지 않으면 다른 걸 찾아보세요. 분명 여러분이 행복하게 느끼며 선한 영향력을 미치는 그 무엇이 있을 겁니다."

필자(박병기)는 수년 동안 성경책 14장chapters을 매일 읽고 지정의로 정리하는 프로그램을 진행했다. 어떤 목사님이 말했다. "하루 14장은 너무 부담되지 않을까요?" 다른 목사님은 이 프로그램에 참여하는 청소년에게 "그런 일(14장 읽는 것)을 하는 너는 정말 불쌍하다"고 말했다. 이런 말을 듣고 필자는 많이 놀랐다. 왜 불쌍하지? 좋아하는 일은 아무리 많이 해도 부족함을 느낀다. 아이들에게 게임을 3시간 동안 하라고 하면 신나게 하지 않겠는가. 부담이 된다면 성경을 읽지 않아야 한다. 부담으로 읽는 것은 성경을 쓴 이와 그것을 쓰게 한 창조주를 존중하지 않는 것이다.

그 일을 하면 행복한 것을 하라. 그런데 행복하면서 나와 타인에게도 기쁨이 되는 그 무엇을 하라.

'나는 지정의 학습이 좋으니 평생토록 할 것입니다'라는 사람들을 만나게 되기를 고대한다.

CHAPTER

06

참가자들의 말말말

다음은 지정의 학습에 참여한 학습자들의 후기이다. 청소년 학습자에서 성인 학습자까지 약 100일 동안 학습 과정에 함께 하면서 느낀 소감을 적어주었다. 함께한 학습자들 모두와 소감문을 적어 나눠준 아래의 학습자들에게 감사의 마음을 전한다. (글쓴이가 쓴 그대를 유지하기 위해 반말과 존대말을 혼용했음을 미리 밝힌다.)

문준호 (청소년 학습자)

지정의 학습 1기를 하면서 지정의를 통해 더 많은 것들을 접하고 그 내용을 지정의로 정리하여 올리는 것이 쉬울 때도 있지만 어려운 내용도 있어서 지정의 학습을 하기 어려웠을 때도 있었습니다. 지정의 학습의 내용이 쉽든 어렵든 지정의를 적는 것이 습관이 되었고 아침에 일어나면 지정의를 먼저 적을만큼 지정의는 저의 일부분이 된 것 같습니다. 지정의 학습을 하면서 사고가 지, 정, 의로 분리가 되어 사고를 뒤죽박죽 섞어서 생각하는 것이 아닌 부분적으로 생각하다 보니까 굉장히 새롭고 놀라웠습니다.

유하경 (청소년 학습자)

저는 지정의 학습을 하면서 처음에는 매일매일 하는 게 힘들고 귀찮기도 했지만, 지정의 학습의 중요성에 대해 알고 나서부터는 지정의 학습을 하는 70일이 소중하게 여겨지고 지정의체를 회복할 수 있는 기회가 주어져 감사하게 생각합니다. 또한, 지정의 학습을 하다 보면 제가 몰랐던 내용을 알게 되고, 세상에서 벌어지고 있는 등 필요한 정보를 얻을 수 있어 좋았습니다. 그리고 지정의 학습을 통해 글을 정리하고 핵심내용을 빠르게 알 수 있고 지금처럼 소감문이나 리포트 등 여러 가지 형식으로 작성할 때도 지정의로 작성하면 편리하고 익숙해진 덕분에 자세히 정리 할 수 있어서 감사했습니다.

저는 지정의 학습을 통해 제가 지정의를 회복하려고 하는 것처럼 많은 사람도 eBPSS 마이크로칼리지를 알고 지정의 학습을 하며 지정의체를 회복하면 좋겠습니다. 그리고 저는 이번에 새롭게 시작하는 지정의 학습 2기도 참여하며 앞으로도 지정의를 회복하기 위해 노력할 것입니다.

최예윤 (청소년 학습자)

지정의 학습을 하면서 기사나 영상을 보며 많은 정보를 알게 돼서 좋았고, 그 정보들의 핵심내용을 요약하는 방법을 익힐 수 있어서 학교 과제를 할 때나 글을 쓸 때 유익해서 좋았던 것 같습니다. 처음에는 이해가 가지 않던 기사들이 있어서 힘들었을 때도 있었지만, 많은 기사를 읽으면서, 이해력 등 많은 점이 향상돼서 좋았습니다.

매일 매일 쓰기 힘든 날도 있었지만, 많은 하루하루를 거쳐 나에게 지정의가 습관이 되어서 신기했습니다. 지정의 학습 중요성을 알게 되어서 뜻 깊은 70일이 되어서 기뻤습니다. 내가 쓴 지정의에 대해서 FT 님들께서 피드백을 주셔서 피드백 덕분에 내가 고쳐야 할 점을 기억해두고 고쳐야겠다는 생각이 들 수 있게 해주셔서 감사했습니다.

유지혁 (청소년 학습자)

우리는 지정의 학습을 하면서 회복에 집중하지 않고 과제 완수에 집중하고 있었다는 것을 알았고 우리가 지정의 학습을 통해 배우고 실천하는 철자 검사나 문단 나누기 등이 학습 밖에서는 하나도 실천되지 않는다는 것을 알았다.

정말 교수님의 글이 나에게 하는 말 같아 부끄러웠다. 그리고 이런 글을 통해 깊은 가르침을 주신 박병기 교수님께 감사했다. 앞으로 지정의 학습을 할 때마다 그 지정의 내용을 공책에 써보아야겠다. 또 지정의 학습 외에 학교나 학원 숙제를 할 때도 꼭 철자 검사, 문단 나누기 등을 해야겠다.

전미란 (성인 학습자)

지정의 학습을 하면서 다양한 분야의 최신 동향을 접하고 다른 참가자들의 다양한 관점을 통해 폭넓게 이해할 수 있어서 감사했습니다. 제 경우에는 두 아이와 함께 참여하면서 자연스럽게 지정의 과제가 매일의 공통 관심사가 되어 끊임없이 서로 얘기하게 된 점도 좋았습니다. 객관적 사실이나 시대 상황을 이해하고 아는 것에 그치지 않고, '나는 어떻게 생각하는가?', '나는 어떻게 할 것인가?'까지 생각하는 것을 훈련하게 된 것도 내심 놀라웠는데, '의의 실천'을 통해 셀프 검증까지 할 수 있어서 그 정교함에 더 놀랐습니다. 처음엔 낯설고 어려웠지만 함께하는 사람들이 있어서 의지가 되고 자극이 돼서 지속할 수 있었습니다. 무척 소중한 경험이었습니다. 이렇게 선한 의지를 가득 담고 진행하시는 과정에 참여할 수 있어서 고맙습니다. 다음에도 기회가 있다면 꼭 참여하고 싶습니다. 이끌어 주신 FT 님들께 감사합니다.

이시윤 (청소년 학습자)

지정의를 쓰며 많은 것을 떠올렸고 생각했습니다. 원래는 생각을 별로 하지 않았는데 지정의 덕분에 꼭 생각하고 상상을 할 수 있게 되었습니다. 또 지정의를 쓰면서 다른 사람들에게 느낌과 소감, 그렇게 생각한 이유 등을 미리 생각하지 않아도 바로 내뱉을 수 있게 되었습니다. 내 이름을 기억하게 할 수 있는 말의 실력과 다른 사람들을 가르칠 수 있을 힘이 길러진 것 같고 지정의 영상을 찍으며 자신감을 길렀습니다. 다른 사람 앞에서 얼굴을 보며 대화하는 것을 잘하지는 못했지만, 이번 지정의 영상을 찍으며 익숙해지고 자신감이 생겼습니다.

정희원 (청소년 학습자)

지정의를 쓸 때 처음은 무척 어려웠지만, 하다 보니 자연스럽게 지정의를 하는 것이 일상이 되었고, 지정의를 통해 뉴스나 영상을 보면서 정보들을 알 수 있었습니다. 감정을 더 확실히 표현할 수 있게 되었고, 다른 사람들이 쓴 글을 읽어보며 내가 쓴 글을 고칠 수 있는 점도 좋았습니다. 굿잡(Good Job)을 받을 때는 기분이 좋았고, 리두(Redo)를 받았을 때는 기분이 좋진 않았지만 잘 고쳐서 다시 굿잡을 받을 때면 무척 기뻤습니다. 지정의를 열심히 한 학기 동안 마치고 나니 뿌듯한 마음이 무척 컸습니다. 매일 하는 게 힘들어서 며칠은 빠지기도 했지만, 그래도 할 수 있는 날은 집중해서 하다 보니 안 써도 되는 날에도 '아, 지정의 써야지'라는 생각이 든다는 것이 신기했습니다. 지정의 학습을 통해 많은 것을 알게 되서 기쁘고 감사합니다.

정지원 (청소년 학습자)

제가 지정의 학습을 처음 시작했을 때는 쓰는 것 자체가 정말 어려웠고 중요하게 느끼지 못했습니다. 그리고 지정의 학습의 필요성을 잘 알지 못했습니다. 올려주신 영상과 기사들을 몇 번을 보아도 제대로 이해가 되지 않았고 어렵다고 느껴졌습니다. 하지만 계속해서 지정의 학습을 하면서 지정의 학습이 처음보다 그렇게 어렵지 않다는 것을 점점 느낄 수 있게 되었고, 지정의 학습의 필요성을 갈수록 느꼈습니다. 계속해서 훈련하다 보니 기사와 영상들도 그렇게 어렵게 느껴지지 않았습니다.

많은 다른 분처럼 지정의 학습을 하면서도 많은 배움이 있었습니다. 다른 분들의 지정의 글을 읽으면서 좋은 글을 본받을 수 있는 큰 배움의 기회였습니다. 그리고 제 지정의를 읽어주시고 응원해주시는 분들로부터 더 힘을 얻을 수 있었고 큰 응원이 되었습니다. 다른 사람들에게 댓글을 달면서 그전에는 눈여겨보지 않았던 다른 사람들의 지정의에 더 관심을 가질 수 있었습니다.

지정의 학습 1기는 저에게 정말 큰 도움이 되었고, 지정의 학습 2기도 무조건 참여할 것입니다. 저에게 정말 좋은 기회를 만들어주신, 그리고 끝까지 지도해주신 박병기 교수님께 감사드립니다. 제가 마지막까지 지정의 학습을 지속할 수 있도록 응원해주신 FT 님들과 다른 분들께도 정말 감사하다는 말씀을 드리고 싶습니다.

백성숙 (성인 학습자)

저는 지정의 학습을 저의 부족한 실력을 향상한다는 마음으로 시작했습니다. 지정의 학습을 하며 이해가 되지 않는 날은 단 한 줄도 쓰기 힘들었습니다. 경청이 안 되고 쓰기가 어려운 저는 다른 분들의 글과 비교하며 내가 이해하기 어려운 부분을 다시 읽기도 하였습니다. 어려움 속에서도 끝까지 해보리라는 목표를 가지고 매일 학습을 진행하다 보니 조금씩 경청이 되고 '지'가 조금씩 보이는 것을 느꼈습니다. 이것이 박병기 교수님이 말씀하신 지정의 학습이라는 것을 깨달을 수 있었습니다.

다른 분들의 글과 댓글을 통해 타인의 생각과 내 생각이 같거나 다름을 알게 되었으며 다른 생각으로 인해 더 큰 배움을 얻게 되는 기회이기도 하였습니다. 함께 학습하는 분들을 통해 이해와 생각의 폭을 넓힐 수 있는 시간이었습니다.

1기의 지정의 학습 시간 동안 지知를 성장시켰다면 다음 지정의 학습을 통해 정情과 의意의 성장까지 이룰 수 있도록 더욱 노력해야겠다고 생각하게 되었습니다. 목표는 전인으로서의 회복해야 함을 알게 되었습니다.

학습하는 시간 동안 매일의 최우선이 되었던 지정의 학습이 저에게는 정말 귀한 학습이었다는 생각이 듭니다. 귀한 가르침을 통해 끝까지 학습할 수 있도록 이끌어 주셔서 깊은 감사의 말씀을 드립니다.

손지우 (청소년 학습자)

과제는 행동과 삶의 변화를 위한 것이고 우리는 이런 목적을 모르고 과제로만 하고 있다는 생각이 들었다. 또한, 무엇을 할 때든 그것의 목적을 아는 것이 중요하다는 것을 깨달았다. 또한, 지정의의 뜻을 알고 놀랐고 지정의를 과제로 생각하고 있는 나 자신이 안타까웠다. 앞으로 무엇을 하든 간에 내가 왜 이것을 하는지 한 번씩 생각해 볼 것이고 미래 저널의 왜라는 질문에 대한 답을 집중해서 작성해야겠다.

손아연 (청소년 학습자)

처음 지정의를 했을 땐 어려웠는데 그래도 계속하니 지정의에 대해 알았습니다. 그리고 지정의 과제인 글을 읽고 영상을 보며 많은 정보를 알았습니다. 지정의를 70일 동안 하니까 글이나 동영상을 보고 감정을 표현 할 수 있고 이해력도 늘었습니다. 다른 사람 댓글에 공감하며 댓글을 달 수 있어서 기뻤습니다. 저의 지정의가 70일 동안 발전했습니다.

서혜성 (성인 학습자/웨신대 박사과정)

저에게 있어서 교육과 배움에 대한 기존의 생각은 '지식 전달'과 '지식 습득'이 지배적이었습니다. 그래서 많은 것을 배우고 좋은 것을 가르쳐 주려고 하는데 치중된 교육을 받아왔다고 할 수 있습니다. 그러나 수업 시간에 박병기 교수님을 통해 '학교는 지성만을 훈련해야 하는 것이 아니라 감정과 의지에도 호소해야 한다. 효과적인 교육은 학생 안에 과목에 대한 사랑과 그 과목에 대해 더 배우고 싶은 욕구를 불러일으켜야 하기 때문이다.'라는 앤서니 후크마의 글을 접했을 때 진정한 교육이 무엇인지를 알게 되어 신선한 충격을 받았습니다.

이렇게 진정한 교육이란 인간의 '지정의'가 회복될 수 있도록 하는 교육임을 인지한 상태에서 '지정의 학습'에 참여하게 되었고 어떻게 지와 정, 그리고 의가 회복되어 가는지를 체험하게 되었습니다. 이 학습 과정은 '제대로 인지한 지는 올바른 감정을 갖게 하고 나의 의지에도 작용해서 실천하도록 한다.'는 매우 중요한 사실을 경험하게 해준 학습이었습니다.

'지'가 제대로 되지 않을 때 올바른 감정을 가질 수 없고 또 그것은 잘못된 행동을 유발할 수 있기 때문에 먼저 '지'가 제대로 되어야 한다는 것을 배울 수 있었기 때문입니다. 그래서 이 학습을 하면서부터 내가 읽게 되는 글과 보는 영상뿐만이 아니라 사람들과의 대화에서도 '무엇이 진실인지, 무엇을 말하고자 하는 것인지'를 찾으려고 노력하게 되었고 '진실과 본질'을 알고자 노력하게 되었습니다. 그리고 그것을 통해 내가 어떤 느낌과 감정을 갖게 되는지 나에 대해 알아가면서 타인에 대한 이해도 넓혀가게 되었습니다.

비록 내가 세운 '작은 실천'을 완벽하게 실천하지 못한 부분도 많았지만, 머리나 감정에만 머물러 있던 깨달음이 '의'를 통해 실천으로까지 이어지는 것을 경험하며 이것이 교육을 통한 변화를 만들어 내는 과정임을 알게 되었습니다. 게다가 매일 과제로 올려 주시는 글과 영상은 우리에게 필요한 유익한 내용이었기 때문에 시대를 이해하고 교육의 흐름을 이해하는 데 큰 도움을 받을 수 있었으며 함께 지정의 학습에 참여한 다양한 사람들의 글을 읽으며 많은 것을 배울 수 있었습니다.

재미있었던 점은 과제를 올리는 방법이었습니다. 물론 번역기를 사용한 것이지만 내가 쓴 글이 한글과 함께 영어로도 소개가 되고 또 글과 함께 녹음된 음성으로도 소개가 된 것이 무척 재미있었습니다. 한글 맞춤법, 구글 번역, Grammarly, 녹음 등을 사용하며 진행된 '지정의 학습'은 지정의를 회복하는 데 도움을 주는 것만이 아니라 글을 읽고 쓰는데에도 매우 큰 도움을 주었습니다.

저는 이제 막 '지정의 학습'을 시작한 초보 학습자에 불과하지만 앞으로 지정의 학습에 계속해서 참여하여 나의 '지정의'가 회복되는 것을 계속 경험할 것입니다. 이런 훌륭한 지정의 학습에 참여하게 해주셔서 감사합니다.

김희경 (성인 학습자/웨신대 석사과정)

지정의 학습을 하면서 잘못된 '지'가 잘못된 '정'과 '의'를 부른다는 부분이 크게 와 닿았습니다. 그래서 실생활에서 잘못된 ‘지’로 인하여 발생하는 불필요한 감정 소모를 줄이기 위해 어떤 정보나 상황을 접했을 때 내가 모르는 것이 무엇인지를 먼저 알기 위한 노력을 하게 되었습니다. 그러다 보니 감정에 휘둘리는 일이 줄어들었습니다.

매일 조금씩 정해진 분량의 텍스트를 읽고 지정의를 하면서 잘 모르고 익숙하지 않은 분야의 정보를 습득하는 것에 대한 두려움이 줄어들었습니다. 텍스트의 내용을 다른 것들과 연결 지을 수 있는 상황 맥락 지능이 향상되었고 무엇보다 BPSS를 좀 더 깊이 있게 이해하는 시간이 되었습니다.

심삼종 (성인 학습자/웨신대 박사과정)

지정의 학습 이전에는 글과 영상에 대한 핵심을 이해하는 통찰력이 부족했지만 매일 반복되는 지정의 훈련을 통해 영상과 글의 핵심을 이해할 수 있는 능력이 함양되었습니다.

다양한 영상 콘텐츠와 글들을 통해 시대를 읽는 눈과 힘을 키우게 되었고 타인의 글을 읽으며 다양한 사고를 경험하고 배우게 되었습니다. 또한, 새롭게 깨달은 것에 대한 자신의 감정을 글로 표현하는 훈련을 통해 구체적으로 감정을 표현할 수 있게 되었으며,

작은 일이라도 실천해 보는 의의 실천을 통해 단순한 이론적인 학습이 아닌 삶을 변화시켜가는 과정을 경험하게 되었습니다.

특히 구글 번역을 통한 영어 작문의 훈련으로 한글을 잘 쓸 수 있을수록 영어도 잘 쓸 수 있음을 경험하게 되었습니다. eBPSS 마이크로 칼리지의 지정의 학습을 통해 놀라운 변화를 경험하게 되어 너무나 감사드립니다.

문정현 (청소년 학습자)

지정의 학습을 하면서 아무래도 글쓰기 실력이 향상된 것 같습니다. 감정을 표현하는 방법을 더 잘 알게 된 것 같고 감정표현이 서툴지 않게 되었습니다. 글쓰기가 쉬워졌고 지정의 이후로 어떤 영상이나 글을 보든 마음속으로 지정의가 되었습니다. 실제로 실천해본 적도 있고요. 스스로 뿌듯하기도 했고 지정의를 하면서 더 성장한 것 같아 좋았습니다. 좋은 교육을 받을 수 있는 것에 감사합니다.

직접 경험해보니 다른 사람들도 많이 접하는 교육이었으면 좋겠다는 생각이 들었습니다. 글쓰기 실력은 물론 나의 감정표현도 잘 되고, 무엇보다 글이나 영상을 볼 때 이해도 잘되었습니다. 이 깨달음은 지정의 학습 덕분이라고 생각합니다.

강수연 (성인 학습자/거꾸로미디어연구소 연구원)

지금까지 학창 시절을 돌이켜보면 왜 과제를 해야 하는지 알려주는 선생님은 없었던 것 같다. 그리고 나 자신도 왜 과제를 하고 있는지 생각해 보지 않았다. 그저 주어졌기 때문에 하는 것이었고 그냥 기계적으로 했던 것 같다. 성인이 되어 공부하는 과정에서도 역시나 필요하니까 당연히 해야 하는 과제였다. 나에게 필요한 공부였고 나를 위한 공부였기에 했던 과제였다.

이렇듯 과제가 형식적인 학습이 된 것은 주입식 교육의 폐단으로 치부하기엔 나 자신의 이기심을 무시할 수 없다. 나만을 위한 공부에서 과제는 보여주기 위한 것이었고, 그것이 성실함의 결실로 오해되었다. 그런데 지정의 학습은 다르다. 과제가 아닌 삶의 근본적인 회복을 위한 학습임에도 머리로만 이해하고 실천으로 행함이 부족했다. 진짜 회복을 위한 지정의 학습은 어떻게 해야 할까? 진짜 깨달음, 깊은 성찰로 구겨진 내 모습을 더 깊이 들여다봐야 한다. 하나씩 차근히 변화하는 자신의 모습을 봐야 한다. 진짜 공부다운 공부는 나의 작은 변화에서 시작된다.

지금까지 공부와 과제에 대한 나의 인식을 들여다볼 수 있어 감사한 시간이다. 지정의 학습을 통해 나는 진짜 회복을 경험하고 있는가? 물론 새로운 깨달음과 통찰의 시간은 나에게 의미가 있었지만, 실천이 이뤄지지 않았기에 순간의 깨달음으로 끝나고 마는 아쉬움이 있었다. 여전히 같은 패턴을 반복하는 자신이 한심스럽기도 하다. 물리적 시간과 환경 탓을 하기엔 이젠 부끄러운 일이 되어버렸다. 의지가 부족함을 적나라하게 보게 된다. 그 안에 자신의 연약한 내면을 마주한다.

아직도 자신을 다스릴 힘이 부족한 것 같다. 머리로만 알고 행함이 일어나지 않는 것은 의지박약이자 내면의 회복이 덜 일어난 것이다. 이유를 생각해보건데 아직도 자신이 가진 견고한 틀이 스스로를 옭아매는 듯한 느낌이다. 버리지 못하고 깨지지 않는 과거의 나쁜 습관들! 나를 더 깊이 들여다보며 성찰하고 인식함으로 조금씩 펴지는 내면을 기대해본다. 매일 기도 한 시간과 저널링으로 다양한 각도로 나를 재조명하고 그동안 구겨졌던 지정의를 펴가는 시간을 보낼 것이다.

김주혜 (청소년 학습자)

지정의 학습을 하며 제 글의 내용이 깊어지고 또한 제 생각까지 같이 깊어진 것 같습니다. 그리고 지정의 학습을 하며 제가 결심한 것을 실행에 옮기는 힘을 키운 것 같습니다. 지정의 학습을 하기 전에는 생각만 하거나 결심만 하였고 실행에 옮기는 일은 별로 없었던 것 같습니다. 그러나 지정의 학습을 하며 하나하나 실천하며 실행하는 힘을 기른 것 같습니다.

이찬희 (성인 학습자 / 증강학교 FT)

증강학교 '체'의 실천을 하면서 지정의 학습 의미를 깨달아 가고 있습니다. 아무리 멋진 계획과 목표가 있어도 움직이지 않으면 우리의 몸은 아무런 변화를 가져오지 못합니다.

마찬가지로 지정의 학습에서 '의'의 실천이 되지 않으면 멋들어진 문장은 한낱 휴지조각에 불과하다는 것을 깨닫게 되었습니다. 운동을 통해 나의 몸이 변하는 것처럼 지정의 학습을 통해 나의 삶이 변해야 함을 잊지 않겠습니다. 증강학교 Fun Fun & 체를 진행하게 된 것은 커다란 행운이고 삶의 전환점이 되었습니다. '체'의 실천을 하면서 자연스럽게 '의'의 실천까지 이어지고 있음을 느낍니다. 아직 갈 길이 멀지만 지정의가 조금씩 회복되고 있음에 뿌듯함을 느낍니다. 그동안 작성했던 '의'의 내용을 다시 정리하고, 휴지조각이 되지 않게 실천할 수 있는 것부터 하나씩 실천하겠습니다.

문혜빈 (청소년 학습자)

과제를 주는 목적은 변화를 위한 것처럼 지정의 학습은 회복을 위한 것이다. 하지만 과제 완수를 위해 과제를 한다는 것을 알고 아직도 내가 부족하다는 것을 더욱더 깨달았다. 과제를 위해 과제를 한다는 것을 생각하니 너무 나 자신과 같은 것 같아서 부끄럽고 내가 지정의 학습에서 적고 있는 것의 반을 따라가고 있나 후회가 되었다.

의의 실천을 할 때 습관이 되지 않아서인지 분리수거 실천은 계속 생각이 나서 실천을 하고 있지만, 그것을 올리지 않거나 다른 실천을 잊어버리고 하지 않기에 메모장에 지금까지 의의 실천을 정리해야겠다.

양성규 (청소년 학습자)

저는 매일 과제를 한다고 해도 과언이 아닙니다. 교수님의 글을 읽으며 '왜 선생님은 우리에게 과제를 주시고 우리는 그 과제를 왜 할까?'를 생각해보았습니다. 교수님의 말씀처럼 과제의 목적은 행동과 삶의 변화를 위한 훈련인데 우리는 이 목적을 잊은 채 습관처럼 과제를 하고 있다는 것을 깨달았습니다. 지정의 학습을 일반 과제로 생각하고 수행하고 있지는 않은지 돌아보게 하시는 교수님의 말씀이 깊이 새겨집니다.

지금까지 저는 과제 완수 목적으로 과제를 했던 것 같습니다. 그래서 후회가 됩니다. 지정의에서 '의' 실천에 소홀했던 점도 반성합니다. 저에게 이런 깨달음을 주신 박병기 교수님께 감사드립니다. 교수님께 꼭 말씀드리고 싶은 것은 '지정의 학습' 만큼은 좋은 훈련이고 효과에 차이가 있을 뿐 이것은 과제로라도 꼭 해야 하는 훈련임이 분명하므로 이 훈련을 받을 수 있어 제가 선택받은 느낌이라고 말씀드리고 싶습니다.

저희 부모님께서는 '숙제를 하지 말고 공부를 해라'라는 말씀을 많이 하십니다. 그래서 저는 숙제와 공부의 차이점을 생각해보았습니다. 숙제는 해야 해서 하는 것이고 공부는 자신이 하고 싶어서 즐기면서 하는 것이라고 생각합니다. 바로 자발성의 차이인 것 같습니다. 앞으로 저는 과제가 아닌 제 삶의 변화를 위한 훈련이며 공부를 자발적으로 하도록 마음가짐을 바꿔야겠습니다.

이주연 (성인학습자/웨신대 석사과정)

처음 지정의를 시작할 때가 떠오른다. 뭔지 모르는 상태에서 열정이 넘쳤고 미숙했던 만큼 오랜 시간이 걸린 데 반해 결과가 그리 만족스럽지 않았다. 그래도 그때는 제법 진지하게 더 많이 고민했었던 것 같다.

이제는 처음보다는 어찌해야 할지 감은 잡혔지만 매일 반복되는

가운데 어느새 일상의 루틴으로 받아들이고 있다는 것을 깨달았다. 또한, 이렇게 하는 지·정·의는 "행동과 삶을 변화시키기"와는 점점 멀어지는 것이다. 나는 무엇을 위해서 지금 이 과제들을 하고 있는지 스스로 반성하며 처음 마음으로 돌아갈 것을 다짐해본다.

처음 지·정·의를 할 때의 그 설레고 두근거리던 마음이 어느새 익숙함으로 바뀌는 것이 놀랍고 안타깝다. 앞으로 지정의 과제를 할 때는 뭔가 새로운 것을 알았다는 것에만 초점을 맞추기보다는 그것이 내 삶을 변화시킬 수 있을까에 더 집중해서 하도록 할 것이다.

반영훈 (성인학습자/웨신대 박사과정)

과제를 위한 과제를 하는 것에 대해 나 역시 공감하게 되었다. 특히 시간에 쫓길 때 더 그런 일들이 반복되는 것을 느끼게 되었다.

과제를 위한 과제가 아니라 삶의 변화를 위한 과제라는 말에 깨달음이 있었다.

과제를 하면서 철자나 오타 등이 줄어드는 것을 보며 문득 성장하고 있구나 하며 놀랐던 일이 있다. 회의가 많으면 회의감이 든다고 하는데 과제에 치여 사는 것이 아니라 과제를 사랑하면 종일 함께 해도 행복할 것 같은 생각이 들었다.

과제를 일로 마주할 때 한숨으로 다가오고, 과제를 친구로 바라보면 수다로 다가오고, 과제를 연인으로 바라보면 사랑으로 넘칠 것이다.

과제를 통해 오늘도 아주 작은 변화를 느끼며 혼자 흐뭇해 할 것이다. 앞으로 지정의 과제는 가장 집중할 수 있는 시간에 하겠다.

알파 세대의 전두엽을 자극하는 활동은? <박병기>

2020년 9월22일 tvN을 통해 방영된 <인사이트 뉴노멀 강연쇼 미래수업>에는 다음과 같은 내용이 거론됐다. 핵심 포인트를 정리해보면 다음과 같다.

"만 24개월 미만 유아에겐 디지털(스마트)기기를 주지 말아야 한다." "알파 세대 아이들은 뇌의 전두엽이 죽어있는 상태이고 후두엽만 발달해 있다." "그래서 전두엽 자극 활동이 필요하다." "미래의 직업은 심장(마음)과 관련 있다." "코로나-19로 알파 세대의 읽기 능력은 더욱 떨어질 것이다." "알파 세대는 시간관리능력 & 자발성이 떨어질 것이다. 생각하는 능력이 떨어질 것이다."

이 방송을 본 학부모들은 걱정이 가득해졌다. '우리 아이를 이 시대에 어떻게 가르쳐야 할까?'라는 질문이 더욱더 쏟아져 나왔다.

필자도 동의한다. 만 2세까지는 디지털 기기를 주지 않는 것이 좋다. 하지만 3세부터 디지털 기기를 안 줄 수 없는 상황이다. 특히 초등학생, 중학생에게 디지털 기기를 안 줄 방법이 있을까? 불가능한 일이다. 코로나-19 이후에는 디지털 기기를 안 주면 교육을 받지 말라는 것과 같은 것이 되었기 때문이다.

이럴 때 필요한 것은 무엇인가. 이에 대한 적절한 학습을 '전두엽에 대한 경고'를 돌아본 직후에 소개하기로 한다.

전문가들은 Z세대나 알파 세대들이 디지털 게임에 지나치게 몰두되어 있기에 전두엽이 거의 죽어있는 상태라고 한다. 뇌균형운동센터의 최성규 전문의는 YTN 사이언스와의 인터뷰에서 "우리가 눈으로 영상을 받아들이게 되면 후두엽에서 정보를 받아들이고 전두엽으로 넘겨서 정보를 처리하게 된다. 하지만 게임같이 즉각적인 반응을 요구하는 경우 후두엽에서 바로 처리를 해버리기 때문에 전두엽으로 발달시킬 기회를 주지 않는다. 아이들이 게임을 오랫동안 반복적으로 하면 후두엽만 발달하고 전두엽이 떨어지기에 사고나 판단 집중력이 떨어질 수 있다"고 말했다.

이런 글이나 영상을 본 대부분의 학부모는 자녀가 게임을 절대 못 하게 하며 전쟁 태세에 돌입한다. 하지만 게임은 알파 세대나 Z세대들에게 '호흡'이나 마찬가지다. 게임을 못 하게 하면 호흡을 못하게 하는 것과 비슷하다. 어떻게 해야 할까? 게임을 하는 시간만큼 '전두엽을 자극하는 디지털 활동을 동시에 하겠다'는 약속을 받는 것이다.

여러 디지털 활동 중의 하나는 필자가 개발한 지정의 학습이다. 지정의知情意 학습은 어떤 영상이나 글을 보고 읽은 후에 새롭게 알게 된 것知, 느끼게 된 것情, 실천하기로 한 것意을 글로 작성하고 동영상으로 촬영하는 학습 과정이다. 그리고 함께 참여하는 이들과 나누는 과정이다. 이는 필자가 개발해 청소년과 성인을 대상으로 진행한 것인데 그 효과는 이미 입증되었다.

그런데 이 모든 일련의 과정이 디지털 기기를 통해 진행되고 글이나 영상이 새로운 시대에 관한 것이 주를 이루기에 청소년들이 재미와 함께 여러 마리 토끼를 잡을 수 있다.

게임을 한 시간 하면 지정의 학습을 한 시간 하겠다는 약속을 받고 지정의 학습을 하게 되면 전두엽 발달이 이뤄질 수 있다. 즉 지정의 학습은 전두엽 자극 활동이다. 앞서 독자 여러분은 tvN 방송 정리 내용에서 "미래의 직업은 심장(마음)과 관련있다."라는 글을 읽은 바 있다. 지정의 학습은 심장(마음)과 연관된 작업을 하는 것이다. 느낀 바情를 쓰고 녹화해야 하기 때문이다.

이 방송에서는 또한 "코로나-19로 알파 세대의 읽기능력은 더욱 떨어질 것이다." "알파 세대는 시간관리능력, 자발성이 떨어질 것이다. 생각하는 능력이 떨어질 것이다."라는 내용이 나왔다. 지정의 학습에서는 디지털 기기 안에서 콘텐츠를 읽어야 하고 생각해야 하고 의意를 통해 자신을 관리해야 한다.

알파 세대가 스마트기기를 어떻게 받아들이고, 코로나 시대에 온라인 교육은 어떻게 해야 할까? tvN 방송은 "생각하는 힘을 길러주어야 하고 생각을 글로 쓰고. 서로 나눔이 있어야 한다"고 결론을 내린다. 지정의 학습은 바로 이러한 필요를 충족시켜 준다. 알파 세대의 뇌가 멈추지 않고, 자라게 도와준다. 지정의 학습은 듣고, 생각하고, 말하는 훈련이다. 그리고 자신을 지키는 감성적이고 정신적인 훈련이다. <인사이트 뉴노멀 강연쇼 미래수업>에 출연한 한 강사는 다음과 같이 말했다.

"(글)을 읽고 난 소감을 스스로 생각해서 가능하면 글로 써야 되요. 그리고 이런 과정을 잘하면 상호작용을 통해 하는게 가장 효과가 좋다고 합니다. 우리가 진짜 원하는 건 아이들이 무엇인가를 느끼고 그걸 말로 표현할 수 있는 그 과정입니다." "어쩌면 제일 중요한 건 감정을 컨트롤할 수 있는, 조절할 수 있는 아이로 키우는 게 부모의 첫 번째 역할이라고 하겠습니다." <박병기>

수업에 집중하지 못하는 이유? 지정의가 망가져 있기 때문 <박병기>

결국 모든 건 마음가짐에 따라 달라진다. 내가 어떻게 마음을 갖느냐에 따라 결과는 달라진다. 마음은 뇌를 움직이고 뇌는 우리의 몸을 움직인다. 이는 지정의의 회복과 연관이 있다. 무엇을 보고 읽고 뇌에 신호를 주고 그것이 마음에 연결이 되고 행동으로 이끌게 하는 것이 지정의 학습이다. 지정의 중에 하나만 깨어져도 제대로 순환이 안 된다. 많은 이가 지정의 모두가 깨어져 있든지 하나나 두 가지가 깨어져 있다. 그러니 오프라인으로 수업을 하든 온라인으로 수업을 하든 그 모습이 깨어져 있는 것이다. 집중하지 못하는 건 무엇인가 하나가 깨어져 있다는 것이다.

수업 시간에 집중을 못하고 다른 생각을 하고 다른 볼일을 보는 학생들이 많아서 참으로 안타깝다. 수업은 신성한 시간이다. 교사나 학생들이 그 1시간 또는 2시간을 신성하게 여겨야 한다. 그렇지 않은 현실이 안타깝다.

수업에 집중하지 못하는 친구들이나 학생들에게 자신이 집중하고 신성히 여기는 일을 찾아 집중할 것을 권하고 싶다. 정말 신나고 좋아하는 것을 찾아가라고. 그런데 지정의가 망가져 있으면 정말 신나고 좋아하는 것이 없을 가능성이 높다.

과제 완수가 학습 공동체의 목표가 아니다 <박병기>

우리는 과제를 위한 과제를 왜 하고 있을까? 요즘 내 안에 일어나는 질문이다. 나는 대학원 교수로서 청소년들을 지도하는 FT로서 많은 과제를 주고 과제를 읽는다. 과제를 주는 목적은 행동과 삶의 변화를 위한 훈련을 위해서다. 그런데 너무나 안타까운 사실은 많은 이가 과제를 완성하기 위해 과제를 한다는 것이다. 내가 주인공이 아니라 과제가 주인공이다.

학위 논문을 왜 쓰는가? 논문을 통해 작게나마 나와 세상이 변혁되기를 원해서 쓴다. 그러나 수많은 논문이 학위 통과를 위해 작성되고 있다. 누가 주인공인가? 인간이 아니라 학위나 논문이 주인공이다. 학술지 논문도 거의 비슷한 이유로 작성되고 있다.

학교 과제도 점수를 받기 위해 행해지고 있다. 과제를 위한 과제를 하는 사람이 너무나 많다. 그렇게 해서 점수 받고 통과하는 게 무슨 의미가 있단 말인가. 이전에는 의미가 있었지만 AI 시대에는 그런 게 별 의미가 없다.

필자가 현재 진행하는 지정의 학습 등 각종 학습에서도 그런 현상이 계속 일어나고 있다. 우리의 학습 안에서 주어진 과제는 외부에 나가서 잘 '써먹으라'고 있는 것이다. 그리고 잘 실천하라고 있는 것이다. 그런데 학습을 할 때와 학습 밖에서 무엇인가를 할 때 큰 차이가 있는 것을 여러 차례 목격한다.

예를 들어, 지정의 학습에서는 철자나 비문, 장문, 오타, 문단 나누기 등을 철저하게 관리하지만, 학습 밖으로 나오면 원래 하던 대로 한다. 이렇게 하려면 지정의 학습을 도대체 왜 하는 것일까? 과제를 위한 과제를 하는 것이다. 그 과제의 주인공은 내가 아니라 과제 그 자체가 된다. 마치 돈의 주인은 인간이 아니라 돈이 된 것처럼 말이다.

지정의 학습을 할 때 '의의 실천'에 멋진 말을 많이 하지만 삶에서는 10%도 자신이 쓴 글을 쫓아가지 못한다. 그래도 20%는 되어야 하지 않은가. 30%는 되어야 하지 않은가. 점점 좋아져야 하는 것 아닌가.

왜 과제를 하고 있는 것인가?
도대체 우리는 무엇을 하려는 것인가?

지정의 학습의 목적은 구겨진 모습의 회복이다. 회복이 일어나고 있나? 우리는 과제를 하러 학습 공동체에 모인 게 아니다. 회복하러 모인 것이고 회복을 나누려 모인다. 당신의 지정의 학습은 회복에 집중되어 있나? 아니면 과제 완수에 집중되어 있나? 과제 완수에 집중되어 있으면 여러분은 결코 과제를 완수할 수 없을 것이다.

양자역학을 통해 이해하는 지정의 학습 <이찬희>

원자를 구성하는 전자와 원자핵을 이해하고 제어할 수 있게 되면서 20세기의 인류는 전자 혁명과 원자력 에너지의 시대를 열었다. 필자는 원자핵은 나를 깊이 아는 것이고, 전자는 타인을 이해하는 것으로 생각해보았다.

그리고 '지정의 학습은 양자역학에 비유해 보면 어떨까'라는 생각이 들었다. 양자역학은 원자 이하의 세계를 제대로 이해하게 만들었다고 한다. 지정의 학습은 양자역학과 비슷해서 원자 이하의 세계 즉, 나와 타인을 깊이 이해하게 만드는 것 같다.

양자역학에서 알 수 있듯이 가장 작은 영역에서 일어나는 일과 가장 큰 영역에서 일어나는 일은 서로 깊은 관련을 맺고 있다. 나를 깊이 아는 것은 '작은 일'처럼 보이지만 '큰 일'과 밀접한 연관이 있다. 이는 타인을 이해하는 데 결정적인 역할을 한다.

지정의 학습을 하면서 그동안 나는 내면 깊숙한 곳의 나를 보는 것이 두려워 겉모습의 나를 보고 있었다는 것을 깨달았다. 나는 나를 알게 되었다고 하지만 그것은 아주 작은 일부일 뿐 더 깊숙이 숨어있는 나를 보려 하지 않았다. 깊은 어둠 속에 홀로 웅크리고 있는 나의 자아에 부끄럽고 미안하다. 그리고 내면의 나를 보니 눈시울이 붉어지고 슬픔이 밀려온다.

"지정의 학습 목적은 구겨진 모습의 회복입니다. 회복이 일어나고 있습니까? 우리는 과제를 하러 모인 게 아닙니다. 회복하러 모인 것이고 회복을 나누려 모인 것입니다. 여러분의 지정의 학습은 회복에 집중되어 있습니까? 아니면 과제 완수에 집중되어 있습니까? 과제 완수에 집중되어 있으면 여러분은 결코 과제를 완수할 수 없을 것입니다." - 박병기 교수.

내 생애 마지막 한 달 <박병기>

둘째 아들이 출석하는 교회에서 '내 생애 마지막 한 달'이라는 제목으로 캠페인을 벌였다. '인생에서 나에게 한 달이 주어진다면 무엇을 할 것인가.'

나는 지금 내가 하는 일을 남은 한 달 동안 할 것 같다. 미래저널을 쓰고 성경으로 30일 지정의 학습을 할 것 같다. 가진 재산이 없기에 재산 정리할 일도 없고 특별히 더 할 일도 없다.

지금 내가 하는 일은 미래의 사회에 꼭 필요하기에 그리고 오늘을 사는 사람들에게 필요하기에 그렇게 한 달을 마무리할 것이다.

내 인생에 한 달이 남으면 매일 50가지씩 감사했던 일을 돌아보며 1,500감사를 자녀와 이웃에 기록으로 남길 것 같다.

내 인생에 한 달이 남으면 나는 창조주 앞에서, 사람들 앞에서 어떤 사람인지 매일 10개씩을 써서 300가지의 나를 정리해볼 것 같다.

내 인생에 한 달이 남으면 나는 내 가치에 영향을 준 지인과 인물을 10명을 찾아 내 인생의 선한 영향력 300인을 정리할 것 같다.

내 인생에 한 달이 남으면 나는 즐겁게 함께 웃고 울었던 일들을 추억하며 하루에 5개씩 적어볼 것 같다.

내 인생에 한 달이 남으면 내가 어떤 일에 화를 냈고 속상해 했는지를 돌아보며 나는 정말 선한 사람아 아니었음을 창조주 앞에서 인정하는 시간을 가질 것 같다.

내 인생에 한 달이 남으면 내가 공동체와 사회를 섬긴 일을 정리하며 내가 그 일을 하게 하신 이께 감사하는 시간을 보낼 것 같다.

미션이기에 Redo는 축복이다 <박병기>

제 첫째 아들은 2020년 가을 미국 모 대학교의 4학년이 됐습니다. USC(남 캘리포니아대)에서 언론학과 정치학을 전공하고 있어 저는 '포스트 코로나 시대의 삶'에 대한 영어책을 만들어 보자고 제안을 했고 지금 열심히 글을 쓰고 있습니다. 두 번째 챕터를 보내왔는데 전공이 전공인지라 정치 이야기가 많았습니다.

제가 보낸 메시지는 "잘 쓰긴 했는데 주제와는 약간 벗어났다"였습니다. 컨텐츠는 이것저것 케이스를 잘 모아서 잘 만들어졌지만 컨텍스트context, 상황에 대한 생각이 부족했던 것입니다.

eBPSS 마이크로칼리지를 진행하면서도 제 첫째 아들처럼 컨텍스트에서 오류가 있는 분이 99.999%입니다. 그런데 여기서 중요한 건 오류가 있는 게 아니라 오류 지적에 대한 수정입니다.

제 아들은 제 지적에 대해 '엄지척' 이모티콘을 보내왔습니다. 지정의 사고를 하는 사람은 그런 지적을 금세 알아챕니다. 감정적 사고를 하는 사람은 감정적으로만 받아들이고 포기합니다.

어떤 논문 심사를 하는데 모 심사 위원 교수님이 There is no writing, but rewriting 이란 말을 했습니다. '글쓰기란 없고 다시 쓰기만 있다'는 말입니다. 다시 쓰는 게 '진짜 글쓰기'란 의미입니다.

eBPSS 마이크로칼리지는 4차 산업혁명시대의 거대한 파도 속에서 서번트 리더십, 9번째 지능, 큰 그림 그리기의 역량을 키워 새 시대의 큰 파도를 마음껏 즐기는 서퍼surfer가 되며 그 서퍼가 또다른 서퍼를 키워내는 것이 미션입니다. 그게 생명을 살리는 것입니다.

이 주제 안에서 창의성을 발휘하고, 이 주제 안에서 생각하고, 이 주제 안에서 연구해야 하는데 아직은 제 아들처럼 off the theme(주제에서 벗어난)인 경우가 많습니다.

그러면 어떻게 해야 할까요?

기분 상하지 않고 Rewrite(다시 쓰기)를 하면 됩니다. 기분 상하지 않고 Redo(다시 하기)를 하면 됩니다. 제 아들이 기분이 상해 Rewrite과 Redo를 하지 않으면 책 쓰기 프로젝트는 거기서 끝이 납니다. BPSS 마이크로칼리지와 지정의 학습도 마찬가지입니다.

기존에 갖고 있던 내 사고와 지식을 내려놓는 것이 가장 힘든 일입니다. "나는 이렇게 저렇게 해왔으니 바꿀 수 없습니다. 지적을 못 받겠습니다." 그러면 프로젝트는 거기서 끝납니다.

제가 미 육군 장교 훈련을 받았을 때 전체를 담당하는 소령님이 한 말입니다.

"지금까지 배우고 경험한 걸 다 내려놓고 처음부터 다시 시작한다는 마음으로 하지 않으면 지금 짐싸서 집으로 가십시오."

이 말을 듣고 처음에는 '나름 엘리트 집단에게 왜 저런 말을 할까?'라고 생각을 했는데 훈련 끝무렵에 그 이유를 알았습니다. 그곳에 모인 사람들은 특별한 미션을 명받고 온 사람들이기에 기존에 갖고 있던 경험과 생각을 내려놓지 않으면 특별 미션이 무엇인지조차 모르고 졸업을 한다는 걸 알았습니다. 지정의 학습은 '과제'가 아니라 '미션'이라는 것을 다시 한 번 상기시켜 봅니다.

I.E.V. Study in the post-COVID-19 era

(ICCC 2020 국제학술대회에 지정의 학습 발표)

Byung Kee Park (WGST)
Kwame Korang Brobe-Mensah (WGST)
Mi Hyeon Na (WGST)

1. Introduction

We are certainly not in normal times. The way and manner we go about our regular duties as people have completely changed. The new normal is to practice social distancing(World Health Organization, 2020), embrace online learning, work remotely, and get confidential information across to loved ones and partners through electronic means. All these developments have been enhanced and have gradually become the world's accepted norm due to the spread of the Coronavirus pandemic and the World Health Organization's(WHO) efforts to curb the spread and rate of contacting the disease. The widespread of the pandemic has encouraged and enhanced the need for online education faster through its existence in the pre-COVID 19 era cannot be denied. Various organizations including

Google, Microsoft, and Gugguro Media Institute in South Korea are providing online educational platform opportunities to individuals to learn courses and programs that would have initially taken them a period of four years in a traditional college or university, to be done in a short period ranging from three to six months. In view of this, the authors would like to introduce the I.E.V. study organized by the eBPSS Micro-College[A] under the auspices of Gugguro Media Institute in South Korea. I.E.V. stands for Intellect, Emotion, and Volition.

2. Theoretical Backgrounds

According to Anthony Andrew Hoekema(1994), who served as a professor at Calvin Theological Seminary, teachers should never forget that the students they teach are going to be holistic persons. He says that one of the primary purposes of school is intellectual education. However, he adds that teachers should appeal to emotions and wills. This is because effective education should inspire students to love the subject and the desire to learn more about it. Also, schools must emphasize not only intelligence but also the physical wellbeing of the students. A holistic person is a well-equipped

A Operated by main author Byung Kee Park and BPSS stands for Big Picture, Spiritual Intelligence, and Servant Leadership person of intellect, emotion, and volition. This is what the business world agrees with. In a book titled Head, heart, guts leadership, the authors emphasized that it is not easy to cultivate a holistic leader, but it is not impossible to focus on building a leader with the head(intellect), heart(emotion), and guts(volition) leadership (Dotlich, 2006). Klaus Schwab(2017), a German engineer and economist best known as the founder and executive chairman of the World Economic Forum, also adds that in the new era we need to be trained for four different types of intelligence: contextual (intellect), emotional(emotion), inspired(volition), and the physical(the body). This is exactly, what the I.E.V. study program that the eBPSS Micro-College seeks to achieve.

3. Description of I.E.V. study

The following is how the main author(Byung Kee Park) has worked on the I.E.V. (Intellect, Emotion, and Volition) Study. The following is a simple guideline for the students of I.E.V.

Intellect: Students write one to three sentences of what they learned intellectually from reading books or articles and watching meaningful videos.

Emotion: Students write one to three sentences of what they have felt from reading books or articles and watching meaningful videos.

They might have felt happiness, thankfulness, sadness, passion, joy, or sorrowfulness

Volition: Volitional activity is considered a means to the end of intellectual contemplation and emotional touch. Loving your neighbors is volitional. Helping others is volitional. Setting a vision and having a dream are also volitional.

The I.E.V. study is an online educational program that makes it easily accessible globally, irrespective of participants' geographical location. I.E.V study is an educational program that cultivates talent for a new era. The talented people in the new era will restore the I.E.V. to benefit the world. They present a vision, empower others, make the right choices, serve as a bridge for maintenance and innovation, value intuition, and be critical but open (Park, 2019). eBPSS Micro-College adopted The POOC (Personal Open Online Course) system, which will give hope like a ray of light to not only students whose physical distance is a problem, but also support the economically marginalized students. The POOC system that eBPSS Micro-College operates is more interactive and educative since it offers individuals the opportunity to share their thoughts and also learn from their peers and colleagues. So even though you learn on an individual basis, you are privileged to tap into others' rich expertise and knowledge on the platform. It enables you to learn something new all the time. Peers motivate each other, which helps participants be committed and encouraged to accomplish the task they are faced with.

The I.E.V. study equipped with the POOC system aims to train and nurture individuals to have a sound worldview and be able to meet up with challenges that may confront them, especially with regards to the wave of the new era. It is to train individuals to impact meaningfully into their societies.

4. Research Methods and Results in Korea

The I.E.V. study has been tried and tested and it has proven to achieve its intended purpose. More than sixty people participated in the I.E.V. study program for seventy days from July 6, 2020, to September 17, 2020. A total of 68 Korean people participated in the I.E.V. study. Among them, 30 (44.1%) were grown-ups, 38 (55.9%) adolescents, 18 (26.5%) males and 50 (73.5%) females. A questionnaire related to changes after the I.E.V. study was conducted to 68 participants online, and the data of 36 participants who responded to the questionnaire were analyzed using IBM SPSS Statistics 22. Participants who responded to the survey were 18 adults (50.0%) and 18 youths (50.0%), 8 males (22.2%) and 28 females (77.8%). The composition of the questionnaire question is 7 Intellect related questions (ex. I got more interested in rethinking the existing ways and trying a new one if necessary after the I.E.V. study.), 7 Emotion related questions (ex. I tried to earn trust more after the I.E.V. study), and 7 volition related questions (ex. I tried more to balance the risks and rewards after the I.E.V. study). A total of 21 questions were composed. The average of 'Intellect' for 36 people is 7.68 (SD = 1.67), the average of 'Emotion' is 7.65 (SD = 1.77), the average of 'volition' is 7.23 (SD = 1.89). Details are shown in <Table 1>.

<Table 1> I.E.V. technical statistics

Items`	N	Minimum Value	Maximum Value	Average	Standard Deviation
Intellect	34	3.71	10.00	7.68	1.67
Emotion	34	4.29	10.00	7.66	1.77
Volition	34	2.86	10.00	7.24	1.90

One Way ANOVA was conducted to determine whether there is a difference in the average value according to the number of participation. As a result of Levene's verification of equal variance, it was confirmed as the same group, corresponding to $0.05<p$. As a result of learning 'Intellect', the average score was higher for those who participated 51 to 60 days out of 70 days than those who participated 11 to 20 times on average, but it was not statistically significant. Those who participated in less than 20 days and those who participated less than 31-40 days did not show statistically significant numbers. In other words, it can be interpreted that 'Intellect' and 'Volition' are improved if they participated in more than 40 days rather than 20 days or less during the study period.

When it reaches 31-40 days, the low average score can be seen as stagnation for the I.E.V study. It also shows that participating in the I.E.V. five days per week gives a better result than the six to seven days of participation per week.

5. Conclusion

In a nutshell, the I.E.V. study is worth promoting and should be given the necessary accord since it seeks to train the individual to be holistic, cope with challenges, especially in the Fourth Industrial Revolution Era, which will be characterized by a lot of disruptive innovative technologies, promote quality education and make education easily accessible to all without discrimination based on either religion, sex, race, ethnicity and other forms of discrimination and helping to remove some barriers to education such as geographical limitations. From the survey and some interviews, participants who accomplished the I.E.V. study five days per week are much satisfied and feel that they improved a lot in the three categories. From the interviews(not included in this paper), participants said that team cooperation and work are promoted through the I.E.V. study because they must comment or establish a discussion among themselves. The articles and videos shared on the platform are equally educative and informative. In this regard, the authors argue that the I.E.V. study should be given all the attention it deserves. The authors also have benefited from the I.E.V. study. Through the program, our approach and understanding of things have changed. They try to think about how best they will contribute to others' wellbeing and the world at large. To absorb and cope with the challenges, demands, and all the implications associated with the new era, then there is a need for human development through lifelong learning educational activities (Jules, 2019) and the I.E.V. study which the eBPSS Micro-College provides is one of the best alternatives to promote lifelong education.

6. References

[1]Cobbold. (2010). Teacher retention in Ghana: perceptions of policy and practice. Saarbrucken: Lambert Academic Publishing.

[2]Dotlich, D. L., Cairo, P. C., & Rhinesmith, S. H. (2006). Head, Heart, and Guts: How the World's Best Companies Develop Complete Leaders: Wiley.

[3]Gleason, N.W. (2018). Higher Education in the Era of the Fourth Industrial Revolution: Springer Singapore.

[4]Hoekema, Anthony A. Created in God’s Image (Grand Rapids, MI; Cambridge, U.K.: William B. Eerdmans Publishing Company, 1994), 223–224.

[4]Jules, T. D., & Salajan, F. D. (2019). The Educational Intelligent

Economy: Big Data, Artificial Intelligence, Machine Learning, and the Internet of Things in Education: Emerald Publishing Limited.

[5]Park, B.-K. (2019). BPSS Micro-College Project.

[6]Schwab, K. (2017). The Fourth Industrial Revolution: Penguin Books Limited.

[7]Veltheim, H. (2020). Future of education after COVID-19: AI becomes the teacher while humans mentor and coach (1st June 2020 ed.).

[8]World Health Organization (2020). Technical guidance - World Health Organization. RetrI.E.V.ed from: https://www.google.com/search?client=firefox-b-d&q=who%27s+guideline+to+fight+again t+the+covid+19# accessed on 2nd October 2020.

지정의 학습,
어떻게 시작할까?

이 책을 읽고 설득이 된 독자가 있을 것입니다. 지정의 학습을 해보고 싶은 독자가 있을 것입니다. 그런 독자님은 아래 QR코드를 통해 특강 신청을 해보세요. 10명 이상이 신청할 때 특강을 주기적으로 진행하도록 하겠습니다.

참고문헌

1) 아도, 피에르. (2017). 고대 철학이란 무엇인가: Open Books.
2) 조우상. (2014). "로봇은 절대 인간감정 느낄 수 없다" <아일랜드 연구>, 나우뉴스. Retrieved from https://nownews.seoul.co.kr/event/event.php?event=introduce
3) Ibid.
4) 진석용. (2014). 스스로 판단하고 행동하는 지능형 로봇의 현주소. LG Business Insight, 2-14.
5) 최경석. (2020). 인공지능이 인간 같은 행위자가 될 수 있나? [Can Artificial Intelligence become an Agent Like a Human Being?]. 생명윤리, 21(1), 71-85. doi: 10.37305/JKBA.2020.06.21.1.71
6) 박선화. (2018). 스파이크 존스의 〈그녀〉에서의 인공지능과 몸, 감정, 윤리적 주체의 문제. [AI, Body, Emotion and Ethical Subject in Spike Jonze's Her]. 스토리앤이미지텔링, 15, 117-143.
7) 진석용. (2014). 스스로 판단하고 행동하는 지능형 로봇의 현주소
8) 김대식. (2018). 4차 산업혁명에서 살아남기, 지혜의 시대. 파주시: ㈜창비.
9) 조인혜. (2106). "힘센 로봇은 자율성 억제해야", 사이언스타임즈. Retrieved from http://bit.ly/sciencetimes1
10) 후크마, 앤서니. (2012). 개혁주의 인간론. 서울: 부흥과 개혁사.
11) Ibid.
12) 도트리치, 데이비드. L. 카이로., 피터 C. , & 라인스미스, 스티븐. H. (2012). 세계일류기업은 어떻게 리더를 양성하는가: 나래북.
13) 슈밥, 클라우스. (2016). 클라우스 슈밥의 제4차 산업혁명. 서울: 새로운 현재.
14) 현대자동차그룹. (2017. 07. 11). 만약 당신이 무인도에 간다면, 무인도에 가져갈 세 가지 물건은?. 네이버 포스트. https://bit.ly/3eiKStf
15) 임재균. (2018). 라이톨로지:굿라이프 인생좌표 상위 1%의 성공의 과학. 키메이커.
16) 가댓, 모. (2017). 행복을 풀다. 한국경제신문.
17) 임재균. (2018). 라이톨로지:굿라이프 인생좌표 상위 1%의 성공의 과학. 키메이커
18) 엘로드, 할. (2016). 미라클 모닝. 김현수 역. 한빛비즈 출판

19) 신영준, 고영성. (2018). 뼈 있는 아무 말 대잔치. 로크미디어.
20) 노현정. (2020). 미래저널 쓰기와 굿메모리스포츠 융합을 통한 미래교육이 청소년에게 미치는 영향. (국내석사학위논문). 웨스트민스터신학대학원대학교. 용인.
21) 유시민. (2016). 유시민의 공감필법. 창비. https://youtu.be/ysOnRl3IZBw
22) 도젠, 찰스 E. (2016). 왜 생의 마지막에서야 제대로 사는 법을 깨닫게 될까. 아날로그.
23) 이승희. (2020). 기록의 쓸모. 북스톤.
24) 데이비드, 수전. (2017). 감정이라는 무기: 나를 자극하는 수만 가지 감정을 내 것으로 만드는 심리 솔루션. 북하우스.
25) 유시민. (2016). 유시민의 공감필법. 창비. https://youtu.be/ysOnRl3IZBw
26) Ibid.
27) 데이비드, 수전. (2017). 감정이라는 무기: 나를 자극하는 수만 가지 감정을 내 것으로 만드는 심리 솔루션. 북하우스.
28) 기조, 스티븐. (2016). 습관의 재발견. 비즈니스북스. https://youtu.be/O-mAWM94HWE
29) Ibid.
30) 클리어, 제임스. (2019). 아주 작은 습관의 힘. 비즈니스 북스.
31) 자하리아데스, 데이먼. (2020). 작은 습관 연습. 고영훈 역. 더난출판사.
32) 신영준. (2016). 졸업선물. 로크미디어.
33) 김작가 TV. (2019. 4. 4). 3천권의 책을 읽은 독서 전문가가 말하는 성장하는 독서법. YouTube. https://youtu.be/s_DW68HfPFw
34) 소스케, 나스카와. (2018). 책을 지키려는 고양이. 아르테.
35) 강규형. (2017). 독서 천재가 된 홍 팀장. 다산라이프.
36) 고영성, 신영준. (2017). 일취월장. 로크미디어.
37) 레히토, 하토야마. (2018). 하버드 비즈니스 독서법. 가나출판사.
38) Ibid.
39) Ibid.
40) 권영식. (2012). 다산의 독서 전략. 글라이더.
41) 신정철. (2019). 단 한 권을 읽어도 제대로 남는 메모 독서법. 위즈덤하우스.
42) 김병완. (2014). 김병완의 책 쓰기 혁명. 아템포.
43) 하토야마 레히토. (2018). 하버드 비즈니스 독서법. 가나출판사.
44) Ibid.
45) 송숙희. (2020). 돈이 되는 글쓰기의 모든 것. 책밥.
46) 크라센, 스티븐. (2013). 크라센의 읽기 혁명. 르네상스.
47) 최시한. (2001). 고치고 더한 수필로 배우는 글읽기. 문학과 지성사.
48) 송숙희. (2020). 돈이 되는 글쓰기의 모든 것. 책밥.
49) 박상배. (2013). 인생의 차이를 만드는 독서법 본깨적. 예담.

50) 송숙희. (2020). 돈이 되는 글쓰기의 모든 것. 책밥.
51) Ibid.
52) Ibid.
53) 박경숙. (2019). 진짜공부. 미래엔와이즈베리.
54) 박병기, 강수연, 김주혜 & 정지원. (2020). 청소년들이 함께 연구한 서번트 리더십. eBPSS 마이크로칼리지.
55) 박병기 외 10인. (2020). 언택트 시대의 마음택트 리더십. 거꾸로미디어.
56) 코비, 스티븐. (2017). 성공하는 사람들의 7가지 습관. 김영사.
57) 커즈와일, 레이. (2007). 특이점이 온다(The Singularity is Near). 김영사.
58) 김대식. (2018). 4차 산업혁명에서 살아남기. 창비.
59) 박병기, 김희경, 나미현. (2020). 미래교육의 마스터키. 거꾸로미디어.
60) 조하, 다나, 마셜, 이안. (2000). 영성지능. 룩스.
61) 박병기, 김희경, 나미현. (2020). 미래교육의 마스터키. 거꾸로미디어.
62) 이소윤, 이진주. (2015). 9번째 지능. 청림.
63) 조코딩. (2020. 8. 20). GPT-3 패러다임을 바꿀 미친 성능의 인공지능 등장 및 활용 사례 10가지. https://youtu.be/I7sZVrwM6_Q
64) 이윤정. (2020). 07. 28. GPT-3 활용 사례 BEST 5. AI타임즈. http://www.aitimes.com/news/articleView.html?idxno=131070
65) 최윤식. (2020). 빅체인지 코로나19 이후 미래 시나리오. 김영사.
66) 글로벌SQ연구소. (2015). 이것이 SQ다. 세종문화.
67) 이재구. (2020. 08. 12). GPT-3보다 더 똑똑한 AI가 온다. AI타임즈. http://www.aitimes.com/news/articleView.html?idxno=131490
68) 조승한. (2020. 08. 30). 일론 머스크는 왜 돼지 뇌에 생각 읽는 칩을 심었나. 동아사이언스. http://m.dongascience.donga.com/news.php?idx=39385
69) 전옥표. (2013). 빅 픽처를 그려라. 비즈니스북스.
70) Ibid.
71) Ibid.
72) 변성우. (2016). 5년 후가 기대되는 내 인생의 빅픽처. 타래.
73) 전옥표. (2013). 빅 픽처를 그려라. 비즈니스북스.
74) Ibid.
75) 스테인 주니어, 앨런. (2020). 승리하는 습과:승률을 높이는 15가지 도구들. 갤리온. https://youtu.be/dFWg8uWnCX8
76) The Anywhere School North America Session 5 Neeru Khosla. 2020. 8. 13. Google for Education. https://youtu.be/ShL6WYrzSEU
77) 전옥표. (2013). 빅 픽처를 그려라. 비즈니스북스.
78) 조원경. (2020 08. 03). [조원경의 알고 싶은 것들의 결말(16) 니콜라에서 바라본

수소차의 미래와 우리의 대응] 미래 경제는 수소 경제가 이끈다. http://naver.me/x9Q7TrUu
79) 너 진짜 똑똑하다. (2019. 06. 12). 계획을 실천하지 못하는 당신을 위한 해답 (Feat. 습관의 재발견). https://youtu.be/O-mAWM94HWE
80) 전옥표. (2013). 빅 픽처를 그려라. 비즈니스북스.
81) Ibid.
82) Ibid.
83) Ibid.
84) 슈밥, 클라우스. (2016). 클라우스 슈밥의 제4차 산업혁명. 새로운 현재.
85) 박원근. (2017). CBS 초대석 52회 이어령 교수. CBS.
86) 박병기, 김희경, 나미현. (2020). 미래교육의 마스터키. 거꾸로미디어.
87) 4차산업혁명위원회. (2020). 4차 산업혁명 대정부 권고안.
88) 김효정. (2018. 04. 03). 인생은 '주관식' 교육은 여전히 '주입식'?… "미래인재 되려면 '4C'를 갖춰야". 에듀동아. http://edu.donga.com/forwarding.php?num=20180403102835451535
89) Ibid.
90) 미래교육 플러스. (2019. 7. 9). 4차 산업혁명 시대, 미래 인재에게 필요한 역량은?. EBS.
91) Ibid.
92) 구본권. (2019). 공부의 미래: 10년 후 통하는 새로운 공부법. 한겨레출판.
93) 콜린코프, 로베르타, 허시-파섹, 캐시. (2019). 최고의 교육. 예문아카이브.
94) Ibid.
95) 오로라. (2020). 04. 17. 코로나로 뜬 단어 언택트untact가 이사람 작품이었어?. 조선일보.

하버드에도 없는 AI시대 최고의 학습법:
지정의 학습 I.E.V. Study

초판 1쇄 발행 2021년 1월 1일

지은이 박병기, 김미영, 나미현
펴낸이 박병기
편집인 박병기
편집디자인 컬러브디자인
교정 김미영, 강수연, 박병기
출판등록 2017년 5월 12일 제353-2017-000014호
대표전화 031-242-7442
홈페이지 https://gugguro.news, https://microcollege.life
이메일 admin@ebpss.page, gugguro21@gmaill.com

ISBN 979-11-971750-1-5
잘못 만들어진 책은 구입한 곳에서 교환해드립니다.

거꾸로 미디어